KB171901

호스피스 봉사활동 일기

죽음의 길목 그 빛나는 순간들

선배 봉사자들과 함께한 나의 영적 성장기

/ 승 광 은 /

부크크

죽음의 길목 그 빛나는 순간들

발　행 | 2024년 7월 4일
저　자 | 승광은
표지화 | 승정연
펴낸이 | 한건희
펴낸곳 | 주식회사 부크크
출판사등록 | 2014.07.15.(제2014-16호)
주　소 | 서울특별시 금천구 가산디지털1로 119 SK트윈타워 A동 305호
전　화 | 1670-8316
이메일 | info@bookk.co.kr

ISBN | 979-11-410-9315-0

www.bookk.co.kr

죽음의 길목, 비로소 보이는 삶의 의미

우리는 매 순간 죽음을 응시해야 한다.
그 순간에 담긴 시작과 끝을 볼 수 있어야 한다.
좋은 것과 나쁜 것, 기쁨과 고통 모두 영원하지 않다.
영적 존재인 우리의 인간체험은 환상이요, 연극이다.
그 체험 속에 담긴 의미를 자각해야 한다.
지금 여기 이 순간이 지닌 보물에 감사해야 한다.
죽음보다 더 달콤한 키스는 없다.
나는 그렇게 믿는다.

그리고
나의 영적 스승인 정, 박 선배에게 이 책을 바친다.

/ 머리말 /

죽음의 길목에서 만난 빛나는 순간들

나는 61세가 되던 2016년 2월, 교단에서 퇴임했다.

은퇴 후 하고자 했던 삶의 계획 중 하나는 호스피스 자원봉사 활동이었다. 평소 내 자신 가장 큰 불안과 두려움의 근원이라 생각했던 죽음을 직면해 그를 성찰하고 그 속에 담긴 소중한 의미를 찾고자 했다.

2017년 2월말, 일반인을 위한 호스피스 교육과 실습 60시간 이수 후, 자원봉사 활동을 시작했다. 말기 암 환자들에 현재의 소중한 삶과 편안한 임종을 돕는 일로 쉽지 않은 일이었지만, 이미 10년 넘게 활동해온 선배 봉사자들의 도움으로 잘 헤쳐 나갈 수 있었다. 선배 봉사자들과의 대화와 활동 속에서 죽음과 죽어감에 대한 빛나는 경험과 지혜를 전수받았다.

활동 만 3년을 맞은 2020년 3월부터 3년간은 전 세계를 휩쓴 코로나 위기의 영향으로 호스피스 자원봉사 활동도 전면 중단되었다. 안타까운 일이었지만 그 3년의 공백은 보다 충실한 활동을 위한 배움의 시간이 되었다. '삶과 죽음, 영혼과 윤회'를 주제로 한 나의 영적 탐구에 몰입하고, 책도 출간하는 계기가 된 것이다.

2023년 4월, 마침내 코로나 위기를 극복하고 호스피스 자원봉사 활동이 재개되었다. 이제는 경력 5년 차를 맞아 지난 호스피스 자원봉사 활동을 되돌아보고, 좀 더 충실한 역할을 해보고자 하는 마음이 생겼다.

이에 그동안 자원봉사 활동의 생생한 돌봄 장면과 감동의 역사를 틈틈이 기록해 두었던 '나의 호스피스 봉사활동 일기'를 공개하고, 이를 다듬어 수필집 형식의 책을 내며 새로운 디딤돌을 놓기로 했다.

지난 시간 완화의료병동 자원봉사 활동 중에 만난 수많은 환자와 가족들, 의사와 간호사, 사회복지사, 성직자와 전문치료사, 간병인, 특히 정성과 열정으로 힘든 환자와 가족들을 돌보며 헌신했던 선배 자원봉사자들은 내 인생의 스승으로 죽음의 길목마다 더 없이 빛나는 삶의 순간들을 마주하게 해주었다.

우리가 죽음과 죽어 감을 직면하며 그 순간을 사랑하는 이유는 우리 모두 현재 살아 있음을 더욱 소중히 가꾸고 축복하려 함에 있을 것이다.

나의 호스피스 자원봉사 활동 일기를 담은 이 작은

책자가 암과 같은 불치병으로 힘든 고통의 길을 걷고 있는 수많은 환자와 그 가족 그리고 그들을 격려하며 돕고 있는 이들에게 힘이 되고, 호스피스 자원봉사자를 위한 교육 자료로 활용될 수 있기를 희망한다. 나아가 보다 많은 이들이 호스피스에 대한 이해를 높이고, 자원봉사 활동에 참여할 수 있게 되기를 기원한다.

끝으로 그동안 완화의료병동 자원봉사 활동에서 만난 귀한 인연으로 세 번째 책 출간의 길을 열어준 나의 동료이며 돌봄과 인생 스승의 역할을 해준 자원봉사자들에게 깊이 감사드린다.

물론 늘 나의 모든 특별한 체험과 깨달음을 반추할 때마다 흔쾌히 대화를 나눠주고 힘을 북돋아 준 아내는 선배 자원봉사자들과 함께 이 책의 공동 저자다.

2024년 7월, 승광은

/ 차례 /

'일반인을 위한 호스피스 교육'을 만나다.

2016년 3월, 은퇴 후의 삶을 설계하며 평소 생각해 왔던 호스피스 교육을 받고 싶어 암센터에 전화로 문의했다. 담당자는 이미 2월에 교육이 끝나 내년에나 교육 일정이 있을 예정이라며, 연락처를 남기도록 했다.

까맣게 잊고 있던 나에게 새해 1월, 담당 사회복지사는 친절하게도 2017년 2월에 열리는 교육 안내 전화를 주었다. 다행이 일정이 맞아 2월 20일부터 3일간 암센터에서 20시간 일반인을 위한 호스피스 교육을 받을 수 있었다.

손님 또는 손님접대, 손님을 맞이하는 장소, 순례자들을 위한 쉼터라는 말에서 유래했다는 호스피스는 임종 직전 말기 암 환자의 고통을 완화하기 위한 의료 행위일 뿐 만 아니라 환자의 남은 삶을 보람 있고 아름답게 가꿀 수 있도록 돕는 일임을 깨달을 수 있었다.

자원봉사자 양성을 위한 목적과 일반인들의 호스피스

에 대한 인식을 제고하기 위한 교육 내용은 호스피스 완화의료의 생명윤리, 삶과 죽음의 이해, 말기 암 환자의 신체적 돌봄, 환자를 위한 기본 간호, 감염 및 안전 관리, 환자 가족을 위한 심리적 돌봄, 호스피스 봉사자의 역할, 돌보는 이들의 스트레스 관리 등으로 오랜 경험을 지닌 강사들의 값진 배움이 전해졌다.

호스피스 완화의료 활동은 팀으로 이루어진다. 의사, 간호사, 약사, 사회복지사, 성직자, 조정자, 영양사, 심리학자, 치료사, 자원봉사자, 보조 인력, 환자와 가족 등이 유기적으로 돌봄을 함께 계획하고 수행한다.

1965년 '마리아의 작은 자매회' 수녀들에 의해 강릉 갈바리 의원에서 처음 시작된 호스피스 돌봄은 현재 병원 밖에 독립시설을 갖추고 전인적인 호스피스 돌봄을 제공하는 독립형 호스피스, 병원 내 호스피스 환자만을 위한 병동이 별도로 설치되어 있는 상태에서 호스피스 돌봄을 제공하는 병동형 호스피스, 가정에 있는 말기환자를 대상으로 의사가 의료적 책임을 지며 호스피스 팀이 방문하여 서비스를 제공하는 가정형 호스피스 등으로 발전했다.

아직은 사회적 인식이나 정부의 지원이 부족해 대전 지역은 세 곳 뿐이고, 이 곳 완화의료 병동은 13병상밖에 갖추고 있지 못한 현실이다.

호스피스 활동은 잘 죽도록 돕는 것이 아닌 잘 살도록 돕는 것이고, 죽음 보다 삶에 중점을 둔 총체적 돌봄이다. 말기 암 환자를 위한 것이 아닌 그들과 함께하는 인간존엄성 회복 운동임을 황관옥 아름다운 집 관장은 강조했다.

또한 자원봉사자들은 '걸림 없는 바람'의 모습으로 '상처는 내 것'이요, 한 몸·한 마음이라는 것을 실천할 수 있도록 노력해야 함을 한국불교호스피스협회의 능인 스님은 강조했다.

나는 20시간 일반인들을 위한 호스피스 기본 교육을 마치고, 완화의료병동 호스피스 자원봉사자 활동 자격을 얻기 위한 40시간 실습에 참여하겠다는 신청서를 제출했다.

호스피스 자원봉사자 실습 오리엔테이션

2017년 2월 28일 오전 10시, 암센터에서 호스피스 자원봉사 실습을 신청한 분들을 위한 오리엔테이션이 있었다. 일반인을 위한 호스피스 교육 이수자 29명 중에 6명만이 참가했다. 19회 교육생이었지만 비교적 신청자가 많은 편이란다. 그 만큼 임종을 앞둔 말기 암 환자의 돌봄을 함께한다는 일이 쉽게 결단할 수 있는 일이 아니란 말로 받아들였다.

이는 삶과 죽음에 대한 인식에서 건강하고 평온한 심신을 유지하고 환자 목욕이나 족욕 등 신체 돌봄부터 심리적 안정을 위한 대화나 책 읽어 주기, 환자와 그 가족에 대한 각종 돌봄 등을 지원하는 일이 쉽지 않으리라는 생각 때문일 것이다.

자원봉사자 실습 40시간은 매주 2회 오전, 오후 중 두 차례 4시간씩 5주간 이어진다. 시간을 내는 일도 쉽지 않을 것이다.

자원봉사를 신청한 6명의 참여 동기도 참 인상적이다. 대부분 나처럼 미리 스스로 알아보고 신청한 분들이다. 또한 먼저 가신 부모님에 대한 미안함과 함께 보다 바람직한 삶과 죽음에 대한 성찰과 배움을 실천하고자 하는 마음이 깃들어 있음을 알 수 있었다. 나 역시 죽음을 직면하는 일은 현재의 삶을 건강하고 보람 있게 가꿀 수 있도록 하는 힘이 될 것이라 믿는다.

기본적인 안내에 이어서 병원 본관 6층에 마련된 완화의료 병동을 견학했다. 환자는 만날 수 없었지만 선배 자원봉사자들의 따뜻한 환대를 받았다. 이런 저런 시설을 돌아보며 마음을 가다듬었다. 40명의 자원봉사자와 함께 여러 재능 기부자가 활동하고 있었는데 더 많은 재능 기부자를 필요로 하고 있었다.

이런 훌륭한 시설들이 늘어나 보다 많은 환자들이 불꽃같은 마지막 삶을 통증 완화 속에서 조금이라도 편안하게 보낼 수 있기를 기대하며, 3월 6일 첫 실습에 다시 올 것을 약속했다.

첫 실습, 긴장을 녹여준 선배 봉사자들의 격려

2017년 3월 6일 오전, 완화의료병동에서 호스피스 자원봉사자 첫 실습을 가졌다.

자원봉사자실에서 오늘 실습을 지도해 줄 9-10년차 선배 자원봉사자들을 만나 반갑게 인사했다. 따뜻한 차와 함께 격려의 덕담이 오간다. 코디네이터 간호사와 함께 아침 회의 시간을 가졌다.

13분 환자의 주말과 아침 건강 상태, 가족이 겪는 돌봄의 어려움 등을 전하며 봉사자들이 유의해야 할 점을 이야기했다. 오전에 지원해야 할 환자와 할 일을 주문했다. 목욕을 해야 할 환자가 몇 분이 있지만 현재 상태가 안 좋아 목욕을 원하는 분들이 없단다.

10년차 경력의 박 선배 봉사자와 한 조가 되어 실습에 들어갔다. 우선 남자 환자들이 있는 5인실 병실로 나는 족욕과 마사지에 필요한 도구들을 담아들고 따라 나섰다. 박 선배는 이미 환자와 그 가족들과 익숙해진 듯 자연스럽게 인사를 건네고 상태를 물어본다. 오랫동안 누워 있는 환자들이기에 자세 교정이 필요한 분들에게 다가가 발도 주무르며 위치를 바꿔주었다.

마침 한 분이 목욕을 희망해 세 분 선배들과 함께 첫 목욕 보조를 했다. 수액 줄 등 각종 기구를 달고 있는 불편한 환자임에도 능숙하게 목욕을 진행을 해 나가는 선배 자원봉사자들 모습이 특별한 감동으로 다가온다. 무엇보다 환자의 몸과 마음이 다치지 않도록 세심한 부분까지 배려했다. 나는 장화를 신고 목욕 가운을 착용한 후 선배들 움직임을 살피며, 작은 요구 사항들에 응하며 보조했다.

목욕을 끝내자 더운 열기로 땀이 솟는다. 오전에는 보통 2-3분 목욕을 돕는데 오늘은 환자 상태가 안 좋아 한 분에 그쳤단다. 그나마 잘 갖춰진 목욕실 덕분에 가능한 일이다. 오랜만에 따뜻한 목욕으로 기분이 좋은지 환자 표정이 환해졌다. 고마운 마음에 봉사자들과 손을 잡고 포옹까지 나누었다. 환자를 침대로 옮겨 병실로 이동시킨 후 목욕실로 오자, 선배 봉사자들이 이미 뒷정리까지 다 해놓았다.

잠시 숨을 돌린 후, 박 선배는 면도기와 수건 등을 챙긴다. 면도를 희망하는 환자가 있단다. 나는 박 선배를 보조하며 면도에 임하는 자세와 절차를 유심히 살펴보았다. 환자 표정이 편안해 보였다.

오늘 첫 실습 주요 활동은 그렇게 끝났다. 점심을 함께 한 후, 실습일지를 작성하고 선배 자원봉사자들과 오전 활동을 마무리 하는 대화 시간을 가졌다.

기본교육 후 자원봉사 실습을 신청하는 분들도 소수이지만 실습을 끝낸 후 정기적인 봉사활동을 지속하는 분들은 더욱 소수란다. 초심을 잃지 말고 계속하기를 바란다는 격려와 함께 다음을 기약했다.

호스피스 자원봉사 활동 첫 실습의 긴장과 갈등이 다소 덜어진 듯 돌아오는 발걸음이 가벼워짐을 느낀다.

실습 2회 차, 족욕과 대화 등 환자 돌봄 유의점

3월 8일 오전, 두 번째 실습을 가졌다.

수요일에는 다섯 분 선배 자원봉사자들이 활동하고 있었는데 새로 온 초보 실습생 두 명을 따뜻하게 맞아 주었다.

잠시 후 회의를 갖고 코디 간호사로부터 환자 상황을 청취했다. 대부분 환자들이 상태가 좋지 않아 목욕은 쉽지 않을 것 같고, 가족과의 대화, 족욕이나 체위 변경 등이 필요한 분에 대한 도움을 주시면 좋겠다는 요청이 있었다.

회의 후 두 팀으로 나누어 여자 병실 담당 봉사자들이 목욕 희망 환자가 있다며 먼저 나간 후, 나는 남자 병실 담당 봉사자들과 함께 환자 도움주기와 관련한 유의점을 청취했다.

"병실 침대 커튼은 가능한 열어 환기와 관계 맺기에 도움이 되도록 하는 것이 좋다. 목욕 시 수액 줄 정리

등은 간호사 도움을 받는 것이 적절하다. 욕창 확인도 마찬가지다." 등 코칭을 받았다.

월요일 면도를 받았던 환자가 족욕을 원한다는 코디 간호사 말에 준비물을 들고 병실로 향했다. 월요일 목욕보조를 했던 환자와도 반갑게 인사를 나누고, 족욕을 진행하는 정 선배 봉사자의 움직임을 관찰하며 실습에 임했다.

먼저 수건 두 장을 따뜻한 물에 적셔 짠 후 발목까지 둘러주고 방수포를 덮어준다. 처음에는 뜨겁지 않게 시작하는 것이 중요하다. 그리고 환자 손을 마사지 하면서 환자 눈을 보며 말을 걸기 시작했다. 의외로 환자가 마음을 열고 대화에 응한다. 잠시 후 다시 수건을 좀 더 따뜻한 물로 적셔 짠 후 발에 둘러주고 방수포를 덮어주었다. 그리고 다시 손을 마사지 하며 대화를 이어갔다. 이렇게 한 번 더 진행하고 마사지용 크림을 발라드렸다.

이 때 박 선배 봉사자가 열 때문에 힘들어 하는 환

자에게 부채질을 부탁한다며 나에게 요청했다. 월요일에 침대에 앉아 있던 환자였는데 월요일 오후부터 상태가 많이 나빠졌단다. 가래 끓는 소리를 내며 숨 쉬기 힘들어 해 간호 교대를 한 딸이 아버지의 손을 잡고 간호하며 연신 눈물을 닦아낸다. 가족을 위로하고 부채질로 열을 식히며 체위도 변경하고 다리도 마사지 하는 등 한참을 함께했다.

직접적으로 병마와 싸우고 있는 환자와 함께 오랜 간병으로 지친 가족들도 어렵긴 마찬가지임을 생생하게 체험했다.

오전 봉사활동을 마치고 자원봉사실에서 추가 코칭이 이루어졌다. 오늘은 처음이라 이해했지만 다음부터는 지켜보고 있지만 말고 수건을 적셔 짜는 등 족욕 보조에 좀 더 적극적으로 참여할 것을 요청받았다. 선배 봉사자 지시만 기다린 수동적 자세를 반성했다.

이와 함께 정 선배는 족욕이나 손 마사지 등은 환자와의 관계를 트고 대화를 하기 위한 수단임을 강조했다. 환자의 마음을 열어 속 깊은 이야기를 이끌어 내는 일이야 말로 가장 좋은 간호란다. 깊이 수긍되는 점이었다.

점심 식사 후 자원봉사실 앞에서 마주친 가족 한 분이 방금 환자가 임종하셨다는 소식을 전한다. 위로를 드리면서 가족의 고마움을 전해 받았다. 내가 만난 환자는 아니었지만 이 병동에서 일 년에 삼백 분 정도가 임종하신다니 마음이 착잡해진다. 나도 모르게 죽음을 직면하며 느끼게 되는 경건함이 깃든다.

박 선배 권유로 다음 주 월요일에는 오전 실습 후 오후에 가정형 호스피스 활동 실습에도 참여해 보기로 했다.

실습 3회 차, 환자와의 관계 맺기

3월 13일 오전, 세 번째 실습을 가졌다.

자원봉사자실에 도착해 인사를 나누며 지난 수요일 오후부터 3분의 환자, 목요일에 한분의 환자가 임종을 하셨다는 소식을 접했다. 오전 봉사 시 가래가 끓어 몹시 힘들어 했던 두 분은 나로서도 안면이 있었던 분이라 더 마음이 아려온다. 대부분 오랜 투병으로 심신이 쇠약해진 상태라 임종이 가까워올수록 가래 때문에 힘들어 한다고 박 선배가 조언해준다. 물론 대부분의 환자는 조용히 편안한 임종을 맞이한단다.

코디 간호사 두 분과 함께 회의 시간을 가졌다. 특히 새로 들어온 50대 비교적 젊은 여자 환자 분의 상황에 모두들 공감하며 안타까워했다. 특별히 참고해 따뜻한 접근과 관심을 요청했다.

결혼 생활로 세 자녀를 두고 다 잘 키워냈지만 남편은 술을 좋아한 탓인지 취중 상습 폭언 등으로 환자를 힘들게 했다. 그 상처의 후유증과 암 말기로 인한 뇌

전이와 섬망 증세가 있음에도 병실 침대에는 올라가지 않으려 하고 바닥과 간이의자에서만 생활한단다. 신앙생활을 하면서도 남편이 올까봐 두려워하는 마음이 있다고 간병인과 함께 간호하는 딸이 전했다.

오늘은 세 분이 목욕을 희망했다. 나는 박 선배와 함께 두, 세 번째 남자 환자를 담당하기로 하고 우선 남자 병실로 향했다. 박 선배는 병실에 들어서며 인사와 함께 날씨가 좋으니 커튼을 모두 걷자며 분위기를 밝게 유도했다. 이어 두 번째 목욕을 희망하신 환자와 반갑게 인사한다. 벌써 네 번이나 병실과 가정을 오고 가며 일 년째 투병하는 환자라 친근한 관계였다. 이어 세 번째 목욕을 희망한 환자와 인사하며 열이 있어 불편했었다는 50대 젊은 환자의 등과 팔을 마사지 해준다.

곧이어 나에게 마사지 역할 교대를 요청해 환자의 왼팔을 가볍게 주물러 드렸다. 환자가 시원하다며 바로 반응을 보인다. 오랜 투병으로 생각보다 더 야윈 팔과 손을 주물러 주자, 처음 실습에 나선 나를 낯설어하면서도 의외로 선선히 자신의 병력에 대해 작은 목소리로 전해준다. 나는 왜 혈액 순환이 잘 안되는지, 왜 왼쪽 발이 좀 부어올랐는지 틈틈이 관심을 갖고 질문을 했다. 열이 내려 컨디션이 괜찮은지 환자는 이런 저런 이야기를 끊임없이 잔잔하게 전한다.

90년대 말 경제위기 때 쯤 건설 현장에서 일하다 산업재해를 당해 뇌수술을 했고, 수술 후유증으로 팔다리 마비 증상이 와 정상적인 생활을 하기가 어려웠다. 그나마 산재 보험금으로 치료비와 생활비, 아이들 학비 등을 지원받을 수 있어 다행이었다. 간호하던 아내가 볼 일이 있어 나갔다며 몇 번 이야기하는 것을 보니 불안해하는 환자의 심리가 느껴진다.

그러던 중 몸 관리를 제대로 할 수 없어선지 술 담배도 안했는데 작년 말 건강검진을 통해 위암 말기임을 알게 되었고, 바로 대수술 후 이곳까지 오게 되었단다. 음식을 먹지 못한지가 삼 개월째라며 기적이 아니면 어렵다 말한다. 나는 기적이 일어나길 기원한다며 마사지를 마무리하고 목욕 보조를 위해 자리를 떴다.

오늘은 두 분 남자 환자 목욕을 보조했다. 세 번째 환자는 50대로 젊어선지 남자 자원봉사자들의 도움만을 요청했다. 두 분 목욕은 환자의 이동 상태가 아직은 좋은 편이라 비교적 수월하게 진행되었다. 따뜻한 물, 부드러운 손 길 등이 어울려져서인지 환자들의 반응이 매우 만족스럽다. 목욕을 끝낸 후 감사의 답례로 손을 맞잡을 때는 진정성이 전해와 나 역시 마음이 뿌듯해온다.

목욕실 뒷정리를 끝으로 땀 흘렸던 오전 봉사활동을 마쳤다. 오후 가정 호스피스 자원봉사자 실습은 추후 따로 계획될 예정이라며 다음으로 미뤄졌다.

환자를 마사지 하며 교감하고 관계를 맺고 속 깊은 대화를 나눌 수 있어야 한다는 선배 봉사자의 충고가 새삼 가슴에 와 닿은 오늘이었다.

실습 4회 차, 환자와의 대화와 첫 족욕 하기

3월 15일 오전, 네 번째 실습을 시작했다.

어제가 소위 화이트데이였기에 겸사해 실습생 신고식 겸 지난 월요일에 이어 초콜릿을 준비했더니 선배 자원봉사자들이 고마움을 전한다.

복장을 갖추고 손부터 씻었다. 지하철을 이용해 전철역에서 내린 후 15분여를 걸어 6층 병동에 도착할 때면 제법 운동이 된다. 차 한 잔을 마시며 대화를 나누곤 하는데, 오늘 아침 여자 환자 한 분이 임종하셨다는 소식이 전해졌다. 90세 임종으로 가족들이 슬픔 속에서도 호스피스 병동 모든 팀원들에게 깊이 감사해 했단다.

회의에서 코디 간호사는 오늘은 여자 환자 두 분만 목욕을 신청했고, 남자 환자 두 분이 족욕을 희망했단다. 대부분 환자 상태가 좋지 않고, 간호하는 가족 분들이 힘들어 하고 있으니 적절한 대화를 통한 격려를 주문했다.

박 선배와 함께 족욕 준비물을 들고 남자 병실로 들어가니 대부분 환자들이 잠들어 있고, 월요일 목욕을 해드린 환자가 앉아 있다가 환한 표정으로 맞이했다. 박 선배가 모처럼 환한 모습을 보니 좋다며 간병 하던 아내를 꽃꽂이 강좌로 안내하고, 환자와 대화하기 위해 교대했다.

박 선배는 마침 환자의 자녀가 교대를 나와 임용고시에 합격한 후, 초등학교에 발령을 받아 3월부터 교사로 근무한다며 교직에 있었던 나를 소개했다. 자녀의 좋은 소식에 환자 표정이 더욱 밝아지고 목소리에 힘이 생겼다. 잠시 후 박 선배가 자리를 나에게 넘기자 환자는 자녀의 초중고교 시절부터 현재까지의 성장기를 작은 목소리이지만 자랑스럽게 들려주었다. 나는 환자가 자연스럽게 이야기를 계속 이어갈 수 있도록 간간히 맞장구를 치며 질문을 드렸다.

혈액 순환이 잘 안된다며 힘들어했던 왼쪽 발을 마사지하며 한참 동안 이야기를 했다. 월요일 목욕 시 가슴에 꽂은 주사 바늘 보호 거즈 보호대와 귀에 물이 들어가 다소 불편했었단다. 목욕 준비에 좀 더 세심한 주의가 필요함을 느꼈다. 환자가 이제 힘들다며 잠을 좀 자고 싶다해 자리를 떴다.

문 입구에서 족욕을 하고 있던 정 선배를 보조했다. 마침 족욕을 원했던 환자가 잠에서 깨어나자 정 선배는 나에게 족욕을 부탁해 처음으로 환자 족욕을 해드렸다. 이 환자는 혈액 순환 장애가 심해 다리가 몹시 부어 탱탱한 상태라 걷지도 못하고 매우 힘들어했다. 다행히 아내분이 건강해 수시로 발 마사지를 해주었다며 나의 족욕 일을 함께 거들었다.

이후 족욕 도구를 정리하고, 선배들의 병실 대화를 지켜본 후 오전 활동을 마무리했다.

박 선배와 점심을 같이 하며 평가를 겸한 대화를 나눴다. 가정형 호스피스 도움을 받고 있는 환자도 많단다. 대부분 환자가 가정으로 돌아가고 싶어 할 것 같다고 말하니 그렇지도 않단다. 통증 치료나 간병에 어려움이 많기에 병원에 있기를 원하는 환자가 더 많단다.

대부분 환자가 오랜 간병으로 가족 간 관계에서 나타나는 어려움을 많이 호소하기에 그런 문제에 도움을 드리는 데에 신경을 많이 쓴단다.

일지를 작성하고 오후 자원봉사자를 기다리다가 뜻밖에 옛 신탄중앙중 제자인 이 봉사자를 만났다. 나를 알아보고 반갑게 인사하며 사회 시간 재미있는 영화 이야기를 해 주었던 기억이 새롭게 떠오른다며 덕담을 전한다. 제자이지만 이젠 자원봉사 선배라며 격려하자 웃음이 터졌다. 좋은 인연이다.

실습 5회 차, 목욕 보조하기

3월 20일 오전, 다섯 번째 실습을 시작했다.

코디 간호사의 진행으로 회의를 갖고, 환자 상태를 전해 들으며 오전 할일을 협의했다. 세 환자가 목욕을 신청했고, 몇 가지 특이사항을 참고로 전했다. 특히 오늘은 내일 암의 날 행사를 위한 병실 홍보 활동 참여가 예정되어 있어 협조를 요청했다.

게시판을 보니 지난 수요일 이후 네 분 환자가 임종을 하고, 한 분이 가정으로 가셨다. 환자의 임종이 일상이다.

나는 박 선배와 함께 목욕 준비를 갖춰 남자 병실로 가 인사를 나누고 환자를 목욕실로 이송했다. 대장암 환자라 기저귀를 벗기는데 냄새가 역하다. 따뜻한 물로 씻고 나니 환자가 너무 고맙다고 여러 차례 인사한다.

두 번째 목욕 환자는 왼쪽 팔이 골절 상태라 신경이 많이 쓰였다. 옷을 벗기고 침대를 옮겨 몸을 씻기는데 매우 조심스러웠다. 익숙한 선배 봉사자들의 모습을 유심히 살펴보며 목욕을 보조하고 뒤처리를 했다. 목욕실 뒤처리는 갈아입은 환자복 주머니에 들어있을지 모르는 물품을 확인해 사용한 수건과 함께 청소실로 보낸다. 목욕 침대를 비누질로 다시 한 번 닦아내고 마른 수건으로 물기를 없앤 뒤 벽에 이동시킨다. 바닥의 물기를 닦아내고, 장화와 목욕 가운을 정리했다.

어느새 두 시간이 훌쩍 지나있다. 이후 예정된 홍보 활동으로 내일 있을 암의 날 행사 안내지를 자원봉사자들이 구획을 나누어 돌렸다. 나는 소아암 병동을 선배 봉사자와 함께 방문했다. 아이들 울음소리가 끊이지 않고 들려 더욱 마음이 심란해졌다. 어린 암 환자를 돌보는 부모의 애끓는 마음을 내가 어찌 알겠는가.

식사 후 오후 봉사자들과 함께 이런 저런 이야기를 나누었다. 실습기간이라 주어지는 역할에 충실하고자 하는 마음이지만 실습 이후 자원봉사자로서 지속적인 활동을 할 수 있으려는지 아직은 잘 모르겠다. 이제 실습은 절반이 지났다.

실습 6회 차, 선배 봉사자 경험 공유하기

3월 22일 오전, 여섯 번째 실습을 시작했다.

코디 간호사와 함께하는 회의는 환자 상태와 돌봄 과정에서 유의해야 할 세심한 부분들에 대한 대화가 이루어진다. 환자와 간호하는 가족들의 개인사가 일정 부분 드러나 여기서 알게 된 민감한 개인정보 내용에 대한 외부 노출이 금지되어 있다.

오늘은 두 분 여자 환자 목욕 요청만 있어 병실 환자의 발 마사지를 부탁받았다. 새로 들어온 환자가 몇 분 있다.

잠시 정, 박 두 선배가 병실로 가기 전 특정 환자와 관련해 나누는 대화를 경청했다. 10년에 걸친 오랜 자원봉사 활동 경험, 한 주에 두 차례 이상 가정 호스피스 활동까지 하고 있는 분들이라 환자 상태와 내면 갈등 요인까지 깊이 있는 대화가 오고 갔다.

박 선배는 자원봉사자들의 역할은 의사나 간호사와는

또 다른 전문성이 있음을 강조했다. 주체적 역할이 있단다. 특히 환자의 심리적 상태를 규정하는 의미로 사용하는 용어들을 들며 대화를 나누는 모습에서 배울 점이 많다.

'투사'(개인의 성향인 태도나 특성에 대하여 다른 사람에게 무의식적으로 그 원인을 돌리는 심리적 현상)라는 심리적 용어를 새롭게' 이해했다.

비교적 젊은 환자의 경우 아내에 대한 심리적 의존이나 의심 등이 복합적으로 작용해 자신의 내면 감정을 잘 드러내지 않고 불안한 말과 행동이 반복적으로 나타난단다.

나는 족욕 준비물을 들고 정, 박 두 선배 봉사자와 또 아직 병실에 들어가 본적이 없다는 다른 실습생과 모두 넷이서 병실로 향했다. 남자 병실에 발 마사지를 원하는 환자 두 분이 있어 박 선배를 보조하며 간간히 대화에 참여했다. 아직은 초보라 마사지에 집중하느라 대화를 나눌 여유가 없다. 하지만 발 마사지를 통해 한결 관계가 친근해졌다.

정 선배의 요청으로 처음 여자 병실의 환자를 대면했다. 함께 발 마사지를 보조하며 환자와 간호하는 남편과 인사를 나누었다. 아내를 간호하는 남편의 마음은 비슷한 모양이다. 젊었을 때 가족을 위해 희생만한 아내에 대한 미안함이 뒤 늦게 느껴져 안타까움을 전하고 싶어 한다.

손발을 만지고 등을 쓰다듬으며 환자와 말문을 트고 어려운 점을 끌어내 공감하고 격려해 가는 선배 봉사자들의 모습에서 또 다른 배움을 깊게 한 오늘이다.

실습 7회 차, 오랜 봉사 활동을 지탱하는 힘

3월 27일 오전, 일곱 번째 실습을 시작했다.

코디 간호사와 함께하는 회의에서 실습 첫 날 발마사지로 안면을 익혔던 환자가 퇴원해 가정으로 갔다가 지난 주 금요일 갑자기 상태가 나빠져 병원에 재입원했지만 임종했다는 소식을 접했다.

박 선배는 돌봄의 오랜 인연으로 맺어진 유대감으로 더욱 안타깝고, 마지막 길을 함께하지 못한 것이 마음에 걸린다며 애통해 하신다. 젊은 환자일수록 병마와 죽음에 대한 두려움에 인연의 끈을 놓고 용서를 구하는 일 등 임종에 대한 준비에 어려움이 많단다.

박 선배는 많은 환자들이 가정으로 퇴원하기를 원하지만 부족한 여건상 쉬운 일이 아니란다. 가정 호스피스 자원봉사 활동은 상당 기간 병동 호스피스 활동 속에서 다양한 환자를 만나며 얻게 되는 경험이 기반이 될 때 병행하는 것이 좋겠다는 의견을 전한다.

오늘은 월요일이라 목욕을 희망한 환자들이 많단다. 시간 상 오전에 세 분만 먼저 하기로 해 나는 첫 번째와 세 번째 목욕을 보조했다. 이제는 다소 익숙해진 목욕 봉사이지만 불편한 환자 상태를 고려해야 하는 일이라 생각보다 많은 시간이 걸려 뒷정리를 마치니 어느덧 12시가 넘었다.

식사 후, 오후 봉사자들과 처음 인사했다. 한 분은 15년째 이 일을 하고 있단다. 10년 차인 박 선배는 한 5년 정도 이 일을 계속 한 후 좀 더 의미 있고 자유롭게 할 수 있는 또 다른 일을 고민하고 있단다.

마음 한편으로 실습을 끝내고 자원봉사 일을 계속해야 하는지를 고민하고 있는 나에게는 참 대단한 분들임에 틀림없다.

이 일을 그리 오랜 세월동안 한결같은 마음으로 해오도록 한 힘은 무엇일까?

남을 돕고자 하는 선한 마음이 그 힘이 아닐까 생각해본다. 우리는 어렵고 힘든 일일수록 "백지장도 맞들면 낫다."는 마음으로 함께 그 고통과 고난을 이겨나간다.

우리는 자신이 원하는 것을 얻기 위해서라도 남에게 주어야 한다. 남에게 주어야 자신의 빈 곳에 자신이 원하는 더 많은 것을 담을 수 있다. 나의 가장 소중한 것을 남에게 줄 때, 다른 사람들도 자신의 가장 소중한 것을 나에게 주려할 것이다.

우리는 상대방으로부터 나 자신을 마주한다. 내 자신이 사랑 그 자체인 참된 자신으로 존재한다면, 상대방은 나에게서 자신을 보려할 것이다.

나는 호스피스 병동의 수많은 환자들은 우리에게 큰 가르침을 주고 있는 천사라 생각한다. 그 은혜의 힘이 오랜 봉사활동을 지속할 수 있게 해주는 힘이 아닐까 생각해본다.

실습 8회 차, 돌봄의 기본인 환자 이해

3월 29일 오전, 여덟 번째 실습을 시작했다.

회의에서 코디 간호사가 전하는 한 고령의 환자에 대한 상황이 안타깝다. 상태가 다소 호전되면서 환자가 간절히 원하는 가정으로의 퇴원이 결정되어 너무 좋아하셨다. 하지만 자식들의 복잡한 사정으로 요양병원으로 가게 될 것 같다는 말에 환자가 몹시 화를 낸 것이다.

핵 가족사회가 보편화되면서 노인 돌봄의 주된 역할을 담당하게 된 요양원과 요양병원이지만, 노인들의 소외감은 여전한 모양이다. 나의 장모님 역시 그런 안타까운 상황 속에서 마지막 길을 떠나셨기에 남의 일 같지 않다.

내가 환자의 입장이었다면 어떻게 했을까? 자원봉사자들의 생각과 의견이 대체로 어려운 사정의 자식들 입장을 지지했다. 그렇다면 자신부터 미래에 닥칠 상황에 미리 대비하고 마음의 준비를 할 수 있어야 하지 않을까. 요양원에 입소해야 하는 환자의 신뢰를 높이기 위한 제도적 사회적 노력도 지속되어야 하겠다.

오늘은 목욕을 세 분이 희망하셨는데 두 분은 여자 환자라 나는 한 분만 담당했다. 오랜 경력이 있는 정, 박 선배와 함께했다. 정 선배는 처음으로 내게 보조가 아닌 주 역할을 주문했다. 나는 머리, 얼굴, 손, 팔, 발, 등의 순서로 간간히 코치를 받으며, 박 선배와 함께 환자의 목욕을 주도했다.

허리가 매우 불편한 환자였기에 침대를 옮기고 옷을 벗고 입히는 일부터 간호사의 도움을 받고, 이동판과 같은 슬라이드로 불리는 도구도 활용해 조심스럽게 진행했다. 목욕이 끝나니 환자가 감사함을 전한다. 따뜻해진 날씨와 함께 처음으로 이마에 땀이 흘렀다.

시간이 날 때마다 정, 박 선배 두 분은 환자의 상태를 점검하고 좀 더 적절한 도움을 드리고자 서로가 파악한 내용을 주고받았다. 자원봉사자의 역할 수행과 관련해 배울 점이라 생각했다.

잠시 후 환자의 상태가 좋지 않다는 2호실에 발마사지 준비물을 들고 함께했다. 오늘은 아무 것도 원치 않는다는 간병인의 주문이었지만 노련한 두 선배는 부드러운 말과 함께 한참동안 등을 마사지 해 주며 환자의 마음을 누그러트렸다. 환자가 입을 열어 감사함을 전했다.

식사 후 동년의 실습 동기와 함께 목욕과 관련한 대화를 나눴다. 환자가 원하지 않는데 무리해서 목욕을 시킬 필요가 있는지에 대한 의문이 들었단다. 실습의 주된 역할 중 하나가 목욕 봉사이기에 나 역시 공감하는 부분이 있었다.

그래도 처음 가는 호스피스 돌봄의 길이기에 목욕 봉사를 통해 환자와의 관계를 트고 편안한 임종을 돕는 깨달음의 계기가 마련되기를 기대해본다.

실습 9회 차, 첫 면도 실패와 호스피스 공부하기

4월 3일 오전, 아홉 번째 실습을 시작했다.

회의에서 코디 간호사가 2인실 환자의 임종 소식을 전했다. 40대 중반 위암 환자였는데 병동에 들어온 지 열흘도 안 되서 임종하셨다며 안타까워했다.

오늘은 봉사자가 나까지 세 분이라 오전에 목욕 한 분과 면도 한 분, 마사지 한 분을 주문했다. 목욕 환자는 월요일마다 4번째 만남이라 낯도 익어 이젠 조금은 편해진 기분이다. 지난주보다 기운이 없어 보이는 것이 안쓰럽다. 부인의 살뜰한 간호를 받고 계신 분이다. 아침마다 이도 닦고 면도까지 해 주신단다.

목욕 후 면도를 원하는 환자 병실로 선배 봉사자와 함께 갔다. 남자 봉사자라는 이유로 면도를 요청받았다. 하지만 나 역시 20여년 이상 전기면도기를 사용해 온 지라 일반 일회용 면도기는 낯설다. 과거 일회용 면도기 사용 시, 면도날에 베여 피가 난 경험도 많았기에 처음 해 본 사람처럼 조심스럽다.

환자와 인사를 나누고 면도를 해드리겠다고 하자, 고맙단다. 크림을 바르고 아래턱부터 면도를 시작했다. 너무 조심스러워 힘을 주지 못하니 면도가 잘 안 된다. 콧등은 털이 제법 길어 제대로 깎이지 않자 환자가 자주 걱정스런 반응을 보였다. 긴장이 되니 더 잘 안 된다.

할 수없이 옆자리 목욕환자 부인에게 부탁드렸다. 흔쾌히 수용하며 바로 익숙하게 면도를 마무리해 주었다. 감탄하며 감사 인사를 드리자, "피 잘 안나요. 좀 힘을 주어 밀어가며 면도를 해야 해요."라며 요령을 알려주신다. 면도 하는 일로 병실 분위기가 조금은 살아났다.

아무래도 일반 면도기 사용 연습이 필요하겠다는 생각이 들었다. 집에 오다 편의점에서 일회용 면도기를 하나 샀다. 750원밖에 안했다.

목욕이나 면도를 해드리는 일이 가장 어렵고 중요한 봉사활동이라는 선배봉사자의 말에 공감했다. 환자와 경계를 트고 친해지는 좋은 계기가 되기 때문이란다. 무엇보다 환자가 좋아하지만 집에서는 하기 어려운 일이기에 더욱 그러하단다. 그런 후에 조금씩 마음의 문을 닫고 있는 환자와 자연스럽게 대화에 들어가고 조금씩 관계를 가꿀 수 있겠다.

면도를 마무리할 때쯤 뒤늦게 박 선배가 병실로 들어왔다. 오전에 가정에서 임종을 맞은 환자와 가족을 돌보고 오는 길이란다. 8개월 정도 호스피스 봉사를 하며 친근한 관계를 맺어온 환자였다.

박 선배는 식사를 하며 "자원봉사실 책장에 있는 호스피스 관련 책을 좀 읽어보라."고 내게 권유했다. 나는 "미처 생각하지 못했다."며 좋은 조언에 감사함을 전했다. 바로 봉사실로 돌아와 책을 살펴보니 '말기 암 환우, 가족, 자원봉사자, 의료인을 위한 지침서' 『사랑, 감사, 용서 그리고 작별 준비』(정극규, 부크크)가 마음에 들었다.

그렇게 또 한 번 배움과 성찰의 시간이 되었다. 이는 훗날 '삶과 죽음, 영혼과 윤회'를 주제로 한 나의 영적 탐구의 또 다른 계기가 되었다.

실습 10회 차, 실습 수료와 새로운 출발

4월 5일 오전, 열 번째 마지막 실습을 시작했다.

회의에서 코디간호사가 두 분 환자의 임종 소식을 전했다. 죽음이 일상이 되니 감정도 무뎌지나보다. 오늘은 비가 내리는 날이어서 그런지 환자들의 상태도 가라앉아 있단다. 목욕을 신청한 분이 남 녀 각 한 분이다.

정, 박 선배와 함께 먼저 남자 환자 목욕을 보조했다. 이제는 몇 번 낯을 익힌 분이라 반갑게 인사한다. 정 선배는 목욕을 지원하는 팀원들의 역할 분담을 사전에 해 둘 필요에 대해 조언했다. 공감했다. 오늘도 목욕을 주도해 보도록 해 나는 머리와 얼굴, 손과 팔 등 상체 부분을 맡았다.

목욕 후 남자 환자 병실에서 박 선배의 대화 모습을 지켜본 후 자원봉사실로 돌아왔다. 오늘도 정, 박 선배 두 분은 환자 상태와 봉사자의 바람직한 자세 등에 대해 긴 대화를 나누었다. 역시 배울 점이다.

5주간 월, 수 2회씩 40시간 실습이 끝났다. 아직도 초보 수준의 낯설음과 미숙함이 여전하지만 호스피스 자원봉사 활동 지속과 관련한 마음속 갈등은 어느 정도 정리가 된 듯하다.

담당 복지사, 박 선배와 함께 상의하며 기회가 된다면 이제는 가정 호스피스 활동 실습을 해보고 싶다고 전했다. 병동 활동도 겸해야 한다기에 수요일 오전으로 신청했다.

우선 다음 주 화요일 오후에 목욕을 원하는 남자 환자의 가정 호스피스 활동에 참여하기로 했다. 그 다음부터는 수요일 오전은 병동, 오후는 가정에서의 자원봉사 활동을 하는 것으로 상의했다.

훌륭한 멘토 역할을 해준 선배들 덕분에 실습을 잘 마치고, 이제 자원봉사자로 등록해 새롭게 출발할 수 있음에 감사한 오늘이다.

욕창 환자 목욕 시 유의점

교육 20시간, 실습 40시간을 마치고 호스피스 자원봉사자 자격을 취득했다. 하지만 자격증이 있는 것도 아니고 아직은 초보자 위치라 우선 경험이 풍부한 선배들이 많이 있는 수요일 오전에 활동을 신청했다. 배워야 할 것이 많은 것이다.

때마침 큰 딸이 출산 후 산후조리를 위해 친정에 내려와 한 달간 생활하게 되어 할아버지로서 신생아 육아 도우미 역할을 수행하느라 호스피스 봉사활동을 잠시 쉬기로 담당 코디 간호사에게 양해를 구했다.

5월 마지막 날인 오늘 한 달 만에 다시 호스피스 봉사활동을 시작했다. 선배 봉사자들과 반갑게 인사를 나누고 상황판을 보니 병동 환자 대부분의 이름이 생소하다. 그 사이 많은 분들이 임종을 한 것이다.

코디 간호사와 아침회의를 하면서 특별히 욕창 환자의 목욕 시 유의할 점에 대해 박 선배가 아쉬움을 토로

했다. 정성을 다해 욕창 환자의 목욕을 해드렸음에도 뒤처리가 부족해 환자 가족들이 마음 상해 한 일이 있었다며 다음과 같이 자신의 경험을 전했다.

"환자들은 오랜 침대 생활로 욕창이 발생해 고초를 겪는 경우가 많다. 욕창 환자의 목욕을 위해서는 욕창 부위를 거즈로 테이핑한 후 다시 넓게 비닐을 덮어 물이 들어가지 않도록 주의해야 한다. 아예 수건을 적셔 짜서 닦아드리는 정도가 바람직하다. 만약 물이 들어가 거즈가 젖었을 경우에는 간호사에게 알려 바로 건조시킨 후 거즈를 갈아드려야 한다. 그렇지 않을 경우 욕창 부위가 습해지면서 부풀어 올라 환자 가족이 놀라게 된다."

간호사와 자원봉사자들의 역할이 유기적으로 잘 연결되어 환자와 가족들이 선의의 봉사가 주는 감사함을 놓치지 않도록 세심하게 신경을 써야 함을 새삼 배울 수 있었던 회의 시간이었다.

임종을 앞둔 환자와 가족을 대하는 봉사자 역할

5월 말, 오전 호스피스 봉사 활동을 위한 회의를 끝내고 마침 남자 환자의 목욕 일정이 없어 잠시 박 선배와 대화를 나누었다. 박 선배는 욕창 환자의 목욕 시 유의할 점과 함께 임종을 앞둔 환자와 가족을 대하는 자원봉사자의 자세에 대한 자신의 생각을 다음과 같이 조심스럽게 전했다.

"특히 임종을 앞둔 환자의 경우 의식이 없거나 희미할 지라도 손을 잡아 주고, 눈을 바라보며 더 오래 살아계셔야 함을 조용히 말해주는 것이 중요하다. 이는 환자의 그 동안 삶을 관찰하면서, 또는 병실에서 나눈 대화 속에서 발견한 의미 있고 소중했던 임상 사례를 통해 봉사자로서 자신이 배우고 깨달을 수 있었던 것임을 강조했다.

이는 환자의 삶이 얼마 남지 않았기에 오랜 간병에 지쳐 환자의 고통이 어서 끝나기를 바라는 가족의 마음이 있다 하더라도 환자의 임종 이후에는 지금 이 순간이 다시 올 수 없는 더없이 소중한 시간으로 여겨지기 때문이다."

남자 병실을 방문했다. 한 환자의 손을 잡고 봉사자 자신에게 "많은 가르침을 주셨음에 참 감사하다."는 박 선배의 말에 환자의 표정이 움직인다. 가볍게 포옹하며 잠시 작별을 전하고 나서는 우리에게 "환자가 좋아하는 표정을 보였다."고 간병하느라 치치고 걱정스러워 하던 아내가 반갑게 말을 전했다.

자원봉사자는 늘 간병하는 가족들에 앞서 환자와의 대화와 교감의 기회를 좀 더 가져갈 수 있는 경험과 지혜가 필요함을 새삼 깨닫게 되는 선배 봉사자와의 대화와 돌봄 경험이었다.

혹시라도 간병에 지친 가족에 대한 연민의 마음이 앞서 임종을 앞둔 환자를 돌볼 수 있는 소중한 기회를 놓치는 일은 없는지 좀 더 세심히 살필 수 있는 봉사자이기를 기원해본다.

가정 호스피스 활동 조건

수요일 오후에 신청했던 가정 호스피스 활동은 당분간 취소하기로 했다. 박 선배의 아래와 같은 내용의 조언이 타당하다고 생각했기 때문이다.

"가정 호스피스 활동을 위해서는 병동 호스피스 활동 경험이 전제되어야 한다. 병동에서 기본적인 환자 목욕이나 마사지 등을 통해 친밀한 관계를 맺어 가는 노력이 선행되어야 한다. 환자와 가족의 상태를 종합적으로 파악하고 기본적인 신뢰를 확보해야 상호 교감이 가능해진다.

병동에서 가정으로 환자가 옮겨갔을 때 가정 호스피스 활동의 공간이 열린다. 누구라도 모르는 상태에서 남이 자신의 집에 들어오는 것을 편하게 여기는 사람은 없을 것이다. 만약 병동에서 오랜 시간 다양한 교감의 과정으로 기본적인 신뢰를 가꿀 수 있었다면 가정 호스피스 활동은 더욱 의미와 가치를 발휘할 수 있을 것이다.

서두르지 말고 병동 호스피스 활동에 좀 더 충실할

필요가 있다."

나는 위의 조언에 깊이 공감했고, 초보 자원봉사자로서 가정 호스피스 활동에 대해 가졌던 가벼운 생각을 반성했다. 이에 수요일 오전 병동 봉사활동과 함께 추가로 당분간 수요일 오후 예정했던 가정 호스피스 활동 대신에 오늘 권 선배 봉사자가 제안한 금요일 오전 봉사활동으로의 변경을 고민해 보기로 했다.

환자와 가족의 관계 회복을 위한 노력

길게는 10년 가까이 호스피스 자원봉사 활동을 지속하고 있는 선배 봉사자들과의 대화는 그 자체가 훌륭한 배움의 순간이다. 오랜 시간 다양한 돌봄 경험에서 터득한 지식을 넘어서는 지혜가 빛난다. 지식은 책을 통해서 얻어질 수 있지만 지혜는 체험을 통해서만 얻어지는 참된 지식이라고 나는 믿는다.

6월 초, 오전 자원봉사자실의 회의에서는 특히 어제 호스피스 병동에 들어온 여자 환자의 상태와 상황을 공유하고 적절한 돌봄 방안을 상의했다.

이에 선배 봉사자들은 목욕이나 족욕, 마사지나 체위 변경 등 다양한 피부 접촉을 통해 긴장과 낯선 경계를 허물고 진심이 담긴 대화로 신뢰를 쌓아간다. 갈등과 상처로 병든 몸과 마음을 치유할 수 있는 길을 내고, 그 길에서 용서와 화해의 빛나는 순간을 만들어내는 것이다.

병동에서는 간호사와 봉사자들이 함께 해 뒤늦게나마 환자와 가족 간 대화 속에서 그 갈등과 상처의 일부분이나마 공감하고 치유할 수 있도록 주선한다. 위로와 공감의 대화를 하고, 편지를 쓰고, 생일과 결혼기념일 등의 계기를 활용 작은 이벤트를 기획해 잃어버린 가족 유대감을 회복해 주려 노력한다. 호스피스 병동 내 간호사와 복지사, 자원봉사자들이 만들어 가는 이 작은 사례들은 또 다른 배움이다.

영적 관점에서 바라볼 때는 이 모든 관계 속에서 겪는 고통과 체험들이 신의 완벽한 계획과 서로의 요청과 선택에 의해 이루어진 것임을 알 수 있다. 그 힘든 체험 속에 담긴 삶의 소중한 의미를 깨달을 수 있다면 모든 고통과 상처가 빚어내는 절망을 희망으로 바꿀 수 있을 것이라 나는 믿는다.

환자 목욕과 임종 돌봄의 핵심

6월 중순, 오전 회의 후 지난주에 이어 정, 박, 양 선배와 함께 남자 환자 두 분의 목욕을 해드렸다.

불편한 환자 목욕인지라 나로서는 가능한 빠른 시간 안에 씻겨드려야겠다는 마음이 앞서 있었다. 하지만 목욕 후, 자원봉사실에서의 활동 평가회를 겸한 대화 속에서 정, 박 두 선배는 공통적으로 서두르지 말고 환자 상태를 최우선적으로 고려해 천천히 진행해야 함을 강조했다.

마음의 안정과 함께 따뜻한 물로 충분히 몸을 적시고, 머리, 얼굴, 손과 팔, 발과 다리, 가슴과 등 순서로 진행한다. 머리를 감고 있는데, 동시에 발을 씻기는 것은 올바른 순서가 아님에 유의할 필요가 있다는 말에 공감했다.

환자의 몸을 연결한 의료용 줄의 처리는 반드시 간호사 도움을 받아야 함을 강조했다. 자원봉사자는 환자를 안전하게 정성껏 씻기며 교감하고 관계를 트는 일이 고유 역할이라는 말에도 공감했다.

특히 박 선배는 둘 만의 자리에서 환자의 임종을 돕는 가장 중요한 일은 '용서'에 있음을 진지하게 이야기한다. "임종을 앞두고 평생 마음의 짐으로 남아 있는 원망과 죄책감을 내려놓고 용서한다는 것은 쉬운 일이 아니다. 그 때문에 고통과 두려움에서 벗어나지 못한다. 진심어린 대화 속에서 용서를 이끌어 내면 환자는 그 때서야 편안한 임종을 맞게 된다."라고 말했다.

또 한편으로는 "아무 것도 가진 것이 없는 환자와 모든 것을 가진 환자를 눈앞의 현실로 바라보며 그것이 왜 신의 뜻인지를 이해하면서도 참 마음이 무겁다."며 그것이 요즘 자신의 고민이란다.

지속적인 돌봄 체험, 끊임없는 성찰과 탐구를 통해 호스피스 자원봉사 활동의 의미를 가꾸려는 노력이 중요함을 보여주는 특별함이 담긴 코칭이었다.

환자 돌봄, 발 마사지 적정선은?

6월 하순, 오늘은 세 분 여자 환자 목욕 신청만 들어왔다. 박, 권 선배의 결석으로 남자 병실은 나 혼자 담당이다. 특별히 어제 입원한 담도암 환자의 발 마사지와 대화를 주문받았다.

비교적 집에서 생활이 가능해 그동안 가정 호스피스 도움을 받아오다가 통증이 심해져 처음으로 병동에 들어온 환자였다. 3년째 이어지는 투병 생활이었다. 간병하는 부인의 노고를 격려하자 겸손해 하는 표정이다.

환자에게 발 마사지 희망을 묻자, 선뜻 좋다고 답한다. 따뜻한 수건으로 발을 감싸 부드럽게 한 후, 로션을 바르며 마사지를 해드렸다. 오장 육부의 신경이 연결되어 있는 발바닥인지라 위와 간 쪽을 집중적으로 지압해 가며 반응을 살피자, 환자는 소화가 되는 듯 반응이 느껴진다며 긍정적으로 호응했다.

발가락, 발등, 아킬레스 건, 종아리, 무릎, 허벅지 순으로 30분 정도 충분한 시간을 갖고 마사지를 이어갔다. 오랜만이라 손가락도 아프고, 땀도 난다. 마사지를 마치자 환자와 간병인이 고마움을 전한다. 대화 속에 환자는 목욕도 하고 싶어 해 코디 간호사에게 신청해 보라고 권했다.

잠시 후, 양 선배와 함께 여자 환자 병실 머리감기를 처음으로 보조했다. 스스로 움직이기 어려운 환자라 침대에 누운 채 거품 비누와 따뜻한 물에 짠 수건으로 닦아주는 과정이다. 목욕탕에 다녀 온지도 오랜 환자라 양 선배는 가능한 부분의 몸도 닦아준다. 나에게 발 마사지를 요청해 함께 해드렸다.

활동을 끝내고 정, 양 두 선배에게 발 마사지 적정선을 질문했다. 10분에서 15분 정도가 적당하단다. 봉사자의 체력, 타 환자와의 형평성과 함께 봉사자들 간에도 비교 대상이 되어 오해를 불러올 수 있단다. 오래 해 주기를 바라는 환자의 기대를 충족하는 데는 한계가 있기에 상황에 따라 조절할 필요가 있음을 공감했다.

자원봉사자 협동 작업을 위한 자세

7월 초순, 오늘은 목욕을 희망한 환자가 남녀 각 1명씩이다. 코디 간호사는 또 다른 환자에 대한 목욕 권유를 다시 한 번 해주길 요청했다. 하지만 박 선배와 함께한 권유는 본인의 완곡한 거부 의사로 다음을 기약했다.

나는 정, 박 선배와 함께 목욕을 진행했다. 환자 본인과 부인은 연신 고마움을 전한다. 시어머님 간병에 이어 남편 간병으로 아내 마음이 많이 지쳐 있는 듯했기에 더욱 고마움을 전하는 모양이었다.

몸살로 지난주 못나왔던 박, 권 선배가 가정 호스피스 활동의 어려움에 대해 대화로 공감했다. 병동 활동보다 몇 배는 힘들다며 전하는 어려움에 박 선배는 "물리적 활동을 훨씬 넘는 정신적·영적 소통 능력이 요구되기 때문인 것 같다."라며, "병동에서의 활동을 통한 인간적 교류를 기반으로 하고, 가정 호스피스 환자의 다양한 정신적·영적 소통 요구에 대응하기 위한 끊임없는 공부가 중요하다."라는 오랜 경험치를 전한다. 나는 다시 한 번 공감했다.

아침회의 전에 권 선배가 병동 봉사활동 팀워크에 대한 어려움을 개인 사례를 들어 전했다. 자원봉사자 간의 불협화음을 원만히 해결하기 위한 지혜를 공유하자는 뜻인 듯 했다. 양 선배는 개인적인 충고 필요성을, 정 선배는 수간호사 도움이 중요함을 피력했다.

좋은 의도를 갖고 참여하는 활동이고, 무엇보다 환자를 위한 순수함이 깃들여 있기에 자칫 넘치는 의욕이 세심함과 팀원 간 조화를 놓치는 일이 없도록 더욱 유념해야함을 정 선배는 '늘 겸손해야 한다.'는 말로 대신했다.

어느 집단이나 관계 속에서 발생하는 갈등과 긴장, 가치관과 관점의 충돌은 있게 마련이지만 선한 의지로 좋은 일을 하는 봉사활동도 예외는 아닌 모양이다. 겸손함과 솔직한 대화로 조화를 도모해 나가야겠다.

대장암 환자의 패드와 환자복 교체 돌봄

7월 초순, 오전 회의에서 코디 간호사가 오늘은 여자 환자 목욕만 있고 남자 환자들은 모두 수면 중임을 전한다. 또한 이제부터 박 선배가 가정 호스피스에 주력하느라 수요일 병동 활동을 함께하지 못하게 되었다는 소식을 전한다. 나로서는 그동안 호스피스 자원봉사 선배로서 많은 가르침을 받았기에 아쉬움과 감사함을 동시에 전했다.

세 분 여자 자원봉사자들이 목욕 활동을 진행하는 동안 정 선배와 함께 남자병실을 방문했다. 정 선배는 마침 깨어난 대장암 환자의 간병을 하고 있는 아내와 반갑게 인사하며 도와드릴 일이 있느냐 묻는다.

아내는 패드가 분비물로 젖어 있어 불편해 한다며 패드와 환자복을 갈아 주고 싶은데 전이된 부종과 피부암으로 환자가 고통스러워해 못하고 있단다. 더욱이 분비물로 인한 고약한 냄새로 다른 환자와 간병인들에게 불편함을 주고 있는 것에 미안함을 갖고 있었다. 그래선지 창가에 위치했지만 창문을 열고 부채질을 요청해 보조했다.

정 선배는 환자의 손과 어깨를 가볍게 만져주면서 환자 상태와 기분을 물으며 대화를 이어갔다. 의외로 환자가 적극적으로 대화에 임하며 환자복과 패드를 가는데 협조할 수 있겠단다.

정 선배는 익숙하게 침대를 올리고, 옷과 깔개 등을 이용해 환자를 조금씩 움직여 나갔다. 통증으로 힘들어하는 환자를 살피며 상의와 패드를 교체했다. 나는 정 선배의 조언에 따라 보조했다. 부종과 피부암으로 심하게 붓고 물러진 피부로 인해 손을 대기만 해도 아파했다. 정 선배는 환자를 위로하고 격려하며 마음의 안정을 도모해 가면서 천천히 진행하느라 시간이 많이 걸렸다. 수시로 물을 찾는 환자에게 빨대를 이용해 컵의 물을 조금씩 마실 수 있도록 아내에게 조언하기도 했다.

정 선배와의 대화 속에서 모처럼 다소간 마음의 안정을 찾았는지 꽃꽂이 실습에 다녀온 아내 작품을 들고 부부가 사진을 찍었다. 코디 간호사가 바로 인화해 액자 속에 담아 선물해 드린다는 말에 환자가 좋아하며 손가락으로 하트를 그렸다.

정 선배는 그 동안 열심히 살아온 삶에 지쳐 갖지 못했던 아내와 좋은 대화를 나누기를 주문하며, 한 시간 정도 진행된 돌봄을 마무리했다.

양, 권 선배도 대장암 환자 가정 호스피스 경험을 토대로 돌봄의 어려움에 대해 조언했다.

힘든 환자를 위한 짧은 돌봄이었지만 많은 배움이 깃든 순간이었다.

"오늘은 좋은 날인 모양이에요."

7월 중순, 오전 회의에 코디 간호사가 들어오며 심각한 표정으로 뜻밖의 말을 건넨다.

"오늘은 좋은 날인 모양이에요."

오늘 새벽부터 세 분 임종을 맞느라 호스피스 병동 분위기가 많이 지쳐있고 가라앉아 있단다. 연이어 좋은 곳으로 떠나가신 특별한 날임을 은유적으로 표현한 말이었다. 다들 공감하는 분위기다.

일회적 삶의 관점이 지배하고 있는 현실에서는 죽음은 모든 삶의 끝으로 인식된다. 원치 않는 불행으로 다가온다. 모두가 안타깝게 받아들인다. 하지만 영원불멸하는 영적 존재라는 관점으로 삶을 바라보면 죽음은 단지 형상을 바꾸는 일이다. 영혼의 삶은 죽음이 끝이 아니라 또 다른 시작인 것이다. 종교적 삶의 관점에서 죽음은 자신의 본향인 천국과 극락으로 가는 축복된 계기일 수도 있다. 나는 윤회를 믿기에 자신이 계획한 이번 생의 모든 체험을 잘 마치고, 그 수고한 육신의 몸을 벗는 일은 기쁘게 받아들여할 좋은 순간인 것이다.

박 선배에 이어 권 선배까지 수요 팀을 떠나 자원봉사자가 네 명으로 줄었다. 여자 봉사자 세 분이 여자 환자 두 분 목욕을 해드리는 동안 나는 남자 환자 발 마사지를 해드렸다.

위암 환자는 음식물 섭취가 어려워 많이 마른 상태이다. 따뜻한 물수건으로 발을 부드럽게 한 후 로션을 바르며 마사지를 했다. 다행히 먼저 말을 걸어온다. 지리를 전공했다는 말에 자신도 좋아했던 과목이란다. 국내외 지리적 용어와 지명을 기억해내며 조용한 가운데 여행과 문학 이야기까지 비교적 많은 이야기를 꺼냈다. 김찬삼 교수의 세계무전여행기, 교육방송의 세계테마기행 프로그램까지 서로 공유하는 부분이 많아 감사한 가운데 발마사지를 마치고 다음을 기약했다.

목욕 환자 이동을 돕고, 병실을 살피다 자원봉사실로 돌아오니 그 사이에 또 한 분 환자가 임종하셨다.
정말 오늘은 좋은 날인 모양이다.

환자와 가족을 위한 꽃꽂이 활동

7월 하순, 수요 봉사 팀 구성원 변화로 이제 혼자 남자 병실을 담당하게 되었다. 홀로서기 봉사 활동을 걱정해 주는 선배 여자 봉사자들의 격려가 정겹다.

하지만 족욕과 발마사지 준비를 해 병실을 방문하니 다섯 분 환자 모두가 잠들어 있다. 통증에 따른 고통을 완화해 드리고자 사용하는 진통제의 부작용인 듯 의식 저하에 따른 수면은 밤낮이 없다. 때로는 낮의 계속된 수면으로 밤에 깨어 있는 환자도 많기에 간병의 어려움은 가늠하기 힘들다. 노련한 선배 봉사자라면 상황을 관찰하며 가능한 돌봄 방식을 찾아내기도 하지만 아직 초보인 나로서는 쉽지 않은 일이다.

얼마 후 매주 수요일 오전에 이루어지는 호스피스 환자와 가족을 위한 꽃꽂이 활동 시 병실 환자 자리를 지켜드리는 돌봄을 요청받았다.

꽃꽂이 활동을 준비하는 동안 환자 보호자들에게 꽃꽂이 활동 참여를 권유하니 대부분 싫다는 반응이다.

지치고 힘들어서 의욕이 없고, 이삼일 지나 시들어 가는 꽃모습을 보기 싫다는 것이다.

잠시 후 코디 간호사가 들어와 꽃꽂이 활동 참여를 권유한다. 내가 옆에서 "꽃꽂이 한번 배워보시라." 거드니 코디 간호사가 "배우기보다 밖을 나가지 못하는 환자에게 싱싱한 제철 꽃들과 향기를 전해드리는 정신적 치료의 효과가 있다."며 힘을 내시라 권유하니 모두 마지못해 응한다.

하지만 잠시 후 저마다 꽃꽂이 작품을 들고 환한 모습으로 병실에 들어왔다. 오랜만에 작품 감상도 나누며 웃음을 나누고, 깨어난 환자와는 보호자와 함께 사진도 찍었다. 나처럼 배워야 한다는 부담에서 벗어나, 코디 간호사의 말처럼 즐거운 체험으로 그 순간에 머물 때 치유의 선물로 다가오는 기쁨이 됨을 깨달았다.

무거운 병실 분위기를 걷어내는 한 줄기 빛과 같은 순간이었다.

환자 목욕 시 배변 대처 유의점

8월 초순, 오전 회의 협의 핵심은 지난 2주 연속 소장암 환자였다. 그 환자 목욕 시 끊임없이 이어졌던 배변으로 어려움을 겪었던 상황을 공유하고, 좀 더 바람직한 대처 방안을 모색하는 일이었다.

환자가 며칠씩 변비로 고생하다가 목욕실에서 따뜻한 물로 몸을 적시고, 비누칠과 함께하는 마사지로 신진대사가 활발해져 그동안 막혔던 배변이 환자 본인의 의사와 무관하게 이루어지는 모양이다.

평소 흔치않은 일이라 끊임없이 배출되는 변을 처리하는 일이 보통 어려운 일이 아닌 것이다. 이때는 목욕을 멈추고 보호자 도움을 받아 기저귀를 이용해 배변처리를 우선해야 한다. 가능한 목욕 전 환자 상태를 살펴 배변 후 목욕이 이루어지도록 하는 것이 좋다.

다만 부득이 목욕 중 갑작스런 배변활동이 나타날 경우에는 무엇보다 당황하고 창피하고 미안해 할 환자 마음을 살펴 주는 일이 중요하다. 한 여름 무덥고 습한 날씨와 밀폐된 공간에서 벌어지는 역한 상황과 세심하게 환자를 돌봐야 하는 봉사자의 어려움 속에서 이는 쉽지 않은 일이다.

추운 겨울에도 환자의 보온에 신경써야하기에 특수목욕실에 기본으로 설치된 중앙난방기와 함께 따로 두 대의 전기난방기에서 나오는 열기로 한 분 목욕으로도 땀에 젖는다.

의식 저하와 후유증에 따른 여러 의료처치로 불편한 조건을 안고 있는 환자 목욕은 매우 조심스럽기에 긴 시간이 요구되기도 한다.

오랜 경험 속에서 터득한 지혜로 문제를 해결해 가는 여자 선배들의 모습에서 또 하나의 소중한 배움을 얻는다.

오늘은 혼자서 두 분 남자 환자 발 마사지와 면도를 해드렸다. 아직은 어색하고 미숙한 점도 있겠지만 이를 통해 환자와 보호자와의 관계가 조금은 부드러워짐을 느낄 수 있었다.

후반기 호스피스 봉사 활동을 시작하며

8월 하순, 손녀 육아 지원과 휴가 여행으로 2주를 건너뛰고 사실상 후반기 호스피스 자원봉사 활동을 시작했다. 병동에 들어서면서 방금 임종하신 환자와 가족들을 마주하며 조의를 표했다. 살펴보니 3주 만에 남자 병실 환자가 모두 새로 입원한 분들로 바뀌었다.

담당 코디 간호사로부터 환자 상황을 청취하고 몇 가지 주문을 받아 병실을 방문했지만 환자 모두 잠들어 있다. 여자 환자 목욕 이동과 꽃꽂이 활동 보조 등 가벼운 활동에 임했다. 특별히 남자 환자가 꽃꽂이에 관심이 높아 침대 이동으로 앉은 채 간병인 도움을 받으며 꽃을 꽂는 모습이 인상적이었다.

오늘은 상반기 호스피스 자원봉사 활동을 되돌아보고 새로운 하반기 활동을 보다 충실히 하기 위한 계기라 보여 지는 두 가지 요청을 받았다. 하나는 병원 호스피스 활동 소식지에 자원봉사 활동을 하며 느끼고 배운 점과 관련한 글을 써달라는 원고 부탁이었다. 이미 선배들은 여러 차례 글을 기고했다는 말에 선뜻 받아들였다.

또 하나는 한국호스피스완화의료학회 추계연수에 참여해 달라는 요청이었다. 가까운 충남대에서 열리는 호스피스완화의료 및 연명의료중단 결정법 적용과 이해를 주제로 한 하루 연수로 좋은 배움의 기회가 되리라 생각되어 선뜻 요청을 받아들였다.

그동안의 짧은 활동을 성찰하고 보다 나은 활동을 위한 성장의 계기가 될 수 있기를 기원하며 오전 활동을 마무리했다.

이후 나는 병원 내 지역암센터에 발간하는 소식지인 『의미 있는 삶, 아름다운 마무리』 2017년 9월 28호에 '선배 자원봉사자로부터 배우는 호스피스 실습'이라는 제목의 글을 게재하게 되었다. 그 소책자는 아직도 내 책꽂이에 보관되어 있다.

호스피스 봉사단 유관기관 견학, 군산의료원

9월 초순, 이날은 호스피스 봉사단 유관기관 견학이 예정된 날이었다. 1년에 한 번 호스피스팀원들이 타 지역의 호스피스 기관을 견학하고 배움의 계기를 통해 자원봉사자들의 능력 향상과 친목도 도모하는 행사였다.

1년차 초보 자원봉사자로서 오늘은 병동 활동을 쉬고 다함께 견학에 참여했다. 다른 요일에 참여하는 자원봉사자들과 처음으로 인사를 나누고, 선배 봉사자들의 애정담긴 격려의 덕담을 듬뿍 받았다.

이번 심화연수 견학 장소인 군산의료원은 2년 전 새 건물을 신축 이전해 병원 건물답지 않은 예쁜 디자인으로 눈길을 끌었다. 한국의 슈바이처로 불리는 쌍천 이영춘 박사의 이름과 역사를 만나게 된 것은 특별히 의미가 있었다.

이영춘 박사는 일제 강점기 때부터 농촌 의료 활동에 전념하고, 의료 기관 설립과 의료보험제도 도입에 앞장서는 등 군산을 중심으로 한 호남지역에서는 의료 선구자로서 대단한 존경을 받고 있었다.

쌍천(雙川)이라는 호는 '영혼과 육체의 샘'이라는 뜻으로 이영춘 박사는 병을 치료하는 것뿐만이 아니라 근본적인 치유를 원했다고 한다. 그래서 그는 어떠한 연고도 없는 농민들과 농촌위생을 위해 군산을 찾았고, 돈, 관직, 교수 제의 등 모든 부귀영화를 마다하고 오로지 농민만을 위해 헌신한 것이었다.

이러한 역사가 얼마 전 경남의료원이 적자가 난다는 이유 등으로 폐업된 아픈 현실을 상기하며, 왜 군산의료원이 이 지역 중심 의료기관으로서의 역할을 충실히 해내고 있는지를 알 수 있을 것 같았다.

8층에 위치한 호스피스 병동은 넓고 편리한 시설 환경과 함께 호스피스 팀의 애정과 열의로 26개 병상이 환자 돌봄을 지원하고 있었다. 무엇보다 병실 바닥이 온돌로 설치되어 신을 벗고 출입하며, 환자와 보호자 등이 앉아서 생활할 수 있도록 한 배려가 인상 깊었다.

특히 아름답고 울창한 숲과 정원은 투병생활에 지친 환자와 가족들에게 자연의 치유력을 선물하기에 부족함이 없었다.

내가 봉사하고 있는 병원 완화의료병동 침상은 13개뿐이다. 대전 충청지역의 완화의료 거점 센터인 병원의 위상으로서는 참 아쉬운 규모임을 군산의료원 완화의료병동을 견학하며 새삼 느끼게 되었다.

현재 말기 암 환자 위주의 입원을 받고 있음에도 늘 대기 환자가 많은 실정이다. 오랜 투병 생활에 지친 환자들이 좀 더 인간적이고 쾌적한 시설에서 삶과 죽음의 소중함을 깨닫도록 해야 한다. 국민의 깊은 관심과 정부의 예산 확충이 절실하다.

전국에서 74번째로 설립된 군산의료원 완화의료병동 견학과 군산 역사 문화 탐방을 함께하며 호스피스 자원봉사 활동으로 인한 소중한 배움과 성찰의 기회를 준 병원 완화의료병동 관계자 분들에게 감사한 마음을 전한다.

갈수록 젊어지는 호스피스 환자

9월 중순, 연수와 견학 등으로 3주 만에 병동을 찾았다. 게시판을 보니 남자 병실에 두 자리가 비었다. 더 안타까운 사실은 10대 환자가 입원해 있었다. 30대 환자도 있어 마음이 짠하다. 산업화와 도시화, 의료 환경의 발전과 함께 그 만큼 암에 노출되고 발견되는 사회 환경 탓인지 모르겠다. 40대 부모 마음은 어떨까 가늠하기가 어렵다.

이번 주부터는 박 선배가 수요 팀에 합류하기로 해 한결 마음이 놓인다. 정 선배와 함께 때마침 목욕 신청을 한 10대 환자를 간호하는 어머님과 함께 정성껏 씻겼다. 뇌종양으로 몸을 가누지도 못하고, 말을 잘 못하는 데도 불구하고 시원했다며 감사함을 전한다.

병실에 들어가 환자의 손을 잡고, 등을 마사지 하며 자연스럽게 말문을 터가려 노력하는 박 선배의 모습에서 오랜 경륜이 느껴진다. 고통으로 힘들어 하며 떨어진 기력에 마음의 문을 닫고 관계 맺기를 거부하는 환자에게 다가가는 것이 참 어렵다 느껴지는 나를 본다.

그러면서도 10년 가까이 자원봉사 활동을 하며 슬럼프를 몰랐는데 요즘 자꾸 힘들어짐을 느낀다는 양 선배의 말을 들으며, 나는 이제 시작인데 어려운 것이 당연한 것이 아니겠는 가 스스로에게 격려를 보내본다.

박 선배는 “여기서 활동하는 것은 자신의 생명을 나누는 일이다.”며 자문형 호스피스 시범 사업까지 자원봉사자 활동 참여를 당연한 듯 요구하는 일은 문제가 있다며 지적한다.

때마침 오늘은 병원 합창단 어울림 공연이 12시부터 한 시간 동안 1층 로비에서 열렸다. 코디 간호사도 합창단에 참여해 멋진 공연을 선사했다. 바쁜 일과 속에서도 환자를 위해 공연을 준비한 단원들의 열정과 의지에 박수를 보냈다.

복지사와 함께 호스피스 소식지에 담을 사진 촬영 후 오랜만의 활동을 마무리했다.

간병의 고충, '당신에게 전 부쳐줄 수 있는데.'

9월 하순, 두 분 봉사자가 몸이 불편해 나오지 못했다. 지난주 토요일에 개최된 호스피스협회 추계연수 참가 소감을 나누었다. 병원 진료 과정에서의 우발적 상황 시 대처 방안 필요성, 에이즈 환자 치료를 위한 국가 병원 설립 필요성, 악성 종양 환자 간호 서비스의 어려움 등에 관해 공감했다.

오늘은 두 분 환자 목욕을 진행했다. 여자 봉사자들이 70대 여자 환자 목욕을 진행하는 중에 나는 밖에서 대기하고 있던 남편 간병인에게 다가가 인사를 건넸다. 답답한 마음이 있어선지 이런 저런 고충을 내놓는다. 호스피스 병동 생활 4개월의 고참이라며, 답답하고 속상한 점이 많단다.

췌장암으로 음식 섭취가 불가함에도 끝없이 음식을 탐하는 아내 모습을 보며, 옛날처럼 집에서 먹고 싶은 것, 하고 싶은 것 하다 임종을 맞는 것이 더 좋을 것 같았다는 후회가 수시로 든단다. 이제는 임종기가 다가오는 듯해 어쩔 수 없다며, 어제 비오는 날이어선지 아내가 "당신에게 전 부쳐줄 수 있는데..."라며 미안해하는 말을 하더란다. 섬망 증세 속의 말이라도 가슴이 먹먹해지더라고 남편이 마음 아파하며 전한다.

두 번째 목욕은 남자 환자라 함께했다. 환자는 호스피스 병동에 그제 저녁 들어왔다. 일반 병동에서 암 치료를 받았지만 더욱 악화되어 목욕을 하지 못한지가 2달이 되었다. 발 마사지를 해드렸지만 목욕이 필요했기에 싫다는 환자를 아내가 설득해 동의를 끌어냈다.

허리를 못 써 내내 불안해하는 환자를 위해 아내까지 함께하며 두 달만의 목욕을 천천히 꼼꼼하게 무사히 끝낼 수 있었다. 무덥고 긴 여름을 어떻게 넘겼을까. 틈틈이 물수건과 컵을 이용해 남편을 씻겼던 아내의 정성이 있었기에 가능했을 것이라 생각되었다.

부부관계가 좋으면 환자의 돌봄 과정에서 오는 고충과 함께 일상의 작은 순간 속에서도 소중한 삶의 가치가 빛날 수 있음을 보게 된 오늘이다.

젊은 환자의 사랑과 이별 그리고 짧은 삶

10월 초순, 긴 추석 연휴를 끝내고 병동 자원봉사실을 찾았다. 먼저 온 여자 선배들이 반갑게 맞이한다. 이어진 코디 간호사와의 회의에서 연휴 동안 여섯 분 환자가 임종을 하셨다는 안타까운 소식을 전한다. 그리고 다시 어제 네 분 새 환자가 입원했다며 병동 생활에 잘 적응할 수 있도록 돌봄을 주문했다.

비오는 날은 환자 상태도 더욱 가라앉게 된다. 오늘은 목욕 희망 환자가 없단다. 나는 정 선배와 함께 남자 병실을 찾았다. 내가 손과 발 마사지와 손톱 깎기를 원하는 환자가 있어 도움을 드리는 동안 정 선배는 새로 들어 온 삼십대 중반 젊은 환자의 어깨를 마사지해주며 이런 저런 병실 생활에 보탬이 될 귀한 조언을 전했다.

한 달여 병동생활 끝에 지난 연휴에 임종을 맞이한 삼십 대 초반 환자와 마찬가지로 이번에 새로 들어온 젊은 환자 모두 오랜 투병 생활 속에 사랑하는 여자 친구의 돌봄을 받은 모양이다. 하지만 두 사람 모두 최근 이런 저런 사정으로 여자 친구가 그 곁을 떠나게 되었단다.

끝까지 돌봄을 함께하기를 원하지 않았을까 하는 마음도 부모의 입장에서는 과분한 희망이기도 하고, 안타까운 마음에 정을 떼게 하고 싶기도 하는 복잡한 상태였으리라. 사랑했던 두 사람의 애절한 기원이 마음을 아프게 한다.

짧고 힘든 삶을 계획한 깊은 뜻은 무엇일까? 나는 윤회를 믿기에 이번 생의 그 짧고 힘든 삶 속에 담긴 영적 과제와 의미를 깨닫는 것이 중요하다고 본다. 그러면 다음 생에는 자신이 원한다면 또 다른 길고 평안한 삶도 주어지리라 믿는다.

호스피스 병동 소식지가 나왔다. 요청받아 제출했던 나의 원고가 예쁘게 편집되어 인쇄된 책자로 전해지니 뿌듯한 마음이 든다.

한 젊은 환자의 아름다운 이별과 재회

10월 중순, 오전 회의 시간에 지난 주 손과 발 마사지와 손톱과 발톱을 깎아 드렸던 환자가 그날 저녁 임종하셨음을 전해 들었다. 박 선배도 안타까운 마음이지만 그래도 환자 가족들이 함께 한 가운데 종교적 축복과 용서로 아름다운 이별을 했다고 전한다. 나 역시 마지막 떠나는 길목에서 작은 도움을 드릴 수 있었음에 감사한 마음이다.

또 다른 소식은 30대 젊은 남자 환자를 몇 년간 간병하다 가족과의 다툼으로 환자 곁을 떠났던 여자 친구가 다시 돌아왔단다. 병실에 가보니 자리가 비어 인사를 못했는데, 점심 무렵 다시 병실을 찾으니 환자의 식사를 챙기며 정성껏 간병하고 있는 여자 친구 모습이 보였다. 화해와 용서로 다시 돌아 온 아름다운 재회의 장면이다.

우리 모두는 흔히 남녀관계에서 서로에게 기대하는 바가 있기 마련이다. 내가 보내는 사랑만큼 상대도 그 사랑을 돌려줄지 조바심을 낸다. 또한 이 관계가 언제까지 지속될 수 있을지 수시로 염려한다. 하지만 사랑에는 조건이 없다. 내가 사랑을 담아 메시지를 보내면 그만이다. 그 메시지를 상대가 어떻게 받을 것인지는 그 사람의 몫이다.

모든 관계의 목적은 의무가 아닌 기회를 창조하는데 있다. 이는 서로가 참된 자신이 될 기회를 말한다. 따라서 나는 관계가 서로를 강제하는 의무가 아닌 자유로운 선택으로 각자의 삶을 재창조할 수 있는 기회를 보장하고 제공하는 데 있음을 자각한다.

이제 나는 내가 맺는 모든 관계의 목적과 교감하며, 서로를 성스러운 여행길에서 만난 성스러운 영혼으로 봐야 함을 깨닫는다.

오늘은 날씨가 흐려선지 환자 상태가 좋지 못하다. 그래도 목욕을 원하는 환자가 있어 정성껏 씻겨드렸다. 박 선배와 함께 다시 병실을 순회하며 통증과 섬망으로 답답해하는 환자가 있어 좀 더 밝은 휴게실로 이동해 간병 보호자와 함께 대화를 나눴다.

두 세대 환자의 목욕과 첫 면도

10월 하순, 오늘은 남자 환자 두 분이 목욕을 신청했다. 공교롭게도 10대와 70대 환자다. 70대 환자는 면도도 희망했다.

선천성 질환이었든 아니든 어린 환자의 호스피스 병동 입원은 모두를 더욱 안타깝게 한다. 하지만 오랜 간병 생활에도 지침 없이 자식을 간호하는 엄마의 힘이 놀랍다. 함께 목욕을 도왔다.

한 세대를 뛰어넘은 70대 환자는 목욕하기도 힘겨운 가운데 스스로 조금씩 몸을 움직여 옷을 벗는 일부터 몸을 씻는 일에 도움을 주려 애쓰셨다. 말없는 몸짓 속에서도 평생 배려하는 마음으로 살아오셨음을 느낄 수 있었다.

나는 우리의 삶에 우연이란 없다고 믿는다. 영적 관점에서 모든 삶에는 의미가 있다. 나는 한 영혼이 짧은 삶이나 장애와 불치병이 있는 몸을 선택한 이유는 무엇일지 생각해보았다. 물론 조심스럽다. 생각보다 현실에서 매 순간 부딪히는 불편함과 고통에 힘들어 하는 불치병과 장애가 있는 분들에게 주제넘은 일인지도 모르기 때문이다. 그럼에도 나는 그런 불편함이 있는 몸을 선택한 데는 이유가 있다는 데 공감한다.

아마도 이번 생에서 자신의 잠재력, 용기, 의지, 인내심 등을 체험을 통해 깨닫고자 하지는 않았을까? 부모와 가족들에게 희생과 헌신, 사랑을 체험하게 해 주고자 하는 뜻은 있지 않았을까? 공동체사회 구성원들에게 차별과 편견을 극복하고 모두가 하나 되는 체험의 기회를 주고자 하지는 않았을까? 곰곰이 생각해본다.

목욕을 마친 후 처음으로 일회용 면도기를 사용해 면도를 해드렸다. 감염을 우려해 일회용 면도기를 사용하는 것이 원칙이나 전기면도기에 비해 사용에 세심한 주의를 요구했다. 그동안 내 자신 일회용 면도기를 사용해 연습해온 덕분인지 무사히 면도를 끝낼 수 있었다. 선배 자원봉사자들의 격려가 건네졌다.

악마와 천사를 오가는 환자의 마음

11월 초순, 개인적 사정으로 2주 만에 호스피스 병동을 찾았다. 오랜만에 만난 수요 팀 봉사자들과 반갑게 인사를 나누고, 선배봉사자들의 대화에 귀 기울였다.

양 선배는 과거 암 선고를 받은 환자가 침대에 오른 후 다시 신발을 신지 못하고 3개월 만에 임종한 사례를 들며, 수술과 항암치료를 꼭 받아야 하는 것인지에 대한 의문을 제기했다. 병의 예후를 미리 알 수 있는 것이 아니기에 참 조심스럽지만 남은 생을 좀 더 보람 있게 보낼 수 있지 않을까 하는 아쉬움이 남았단다.

이 때 나는 가만히 경청하며 듣고 있었지만 몇 년이 지난 후 암 전문의로 50여 년간 4만 명 이상의 암 환자를 진료했던 일본 게이오대학병원 의사 곤도 마코토가 지은 책 『암의 역습』을 접하며 크게 공감했다. 그는 암은 건드리는 순간 반드시 역습한다며 '암 방치요법'으로 수많은 암 환자를 진료했다. 관심 있는 이들은 이 책을 참고하면 좋을 듯하다.

한편 최근에 유투브를 통해 한 유명 의사의 인터뷰 영상을 접했다. 건강한 삶과 노후를 가꾸기 위한 자신의 관점을 차분히 전했다. 채식 위주 식단, 소식, 적절한 운동, 충분한 숙면 등을 강조했다. 이중 특별히 내 관심을 끈 것이 두 가지 있었다. 한 가지는 70대에 이르면 건강검진을 받을 필요가 없다는 주장이다.

주장의 요점은 암과 같은 치명적 질병이라도 나이 들면 그 진행 속도가 느리기에 몸에 지니고 있어도 남은 여생을 충분히 건강하게 잘 보낼 수 있다는 것이다. 괜히 미리 건들어서 병을 키우고 수술이나 항암 또는 방사선치료 등으로 고통 받을 필요가 없다는 것이다. 핵심은 건강 수명이 중요함을 강조한 것이다.

또 한 가지는 영적 건강을 강조한 부분이다. 우리는 몸과 마음과 영혼의 세 부분으로 이루어진 존재라 믿는 나로서는 크게 공감되는 점이다.

아침 회의에서 코디 간호사는 목욕과 족욕을 원하는 환자가 한 분씩 있다며 전한 뒤, 새로 들어온 환자와 간병하는 부인 마음을 좀 위로해 주었으면 좋겠단다. 남편이 섬망 증세가 있어 오랜 간병에 지쳐있음에도 정성껏 간병하는 부인의 주문이 짜증스럽고 힘겨웠나 보다. 환자인 남편이 자꾸 "아내가 악마 같다."고 해 부인이 상처받고 있다는 것이다.

병동에 들어와 처음 하는 목욕에 환자가 기대감을 갖고 있음이 다행이다. 엉덩이와 사타구니 사이에 욕창이 생겨 통증으로 민감해 하면서도 오랜만의 따뜻한 목욕에 기분이 좋아지셨는지 감사한 마음을 여러 번 전한다. 항암 부작용으로 인해 생긴 양발 각질이 심한 상태라 여러 번 닦아냈다. 목욕을 끝내고 로션을 바른 후 기분이 좋아지셨나 보다. 새 옷을 가져와 함께 입혀드리는 아내가 새삼 사랑스럽게 보였는지 조용히 "아내가 천사 같다."는 말을 해 모두를 깜짝 놀라게 했다.

새로 들어온 여자 환자가 몸이 힘들어 목욕을 원하지 않아 박 선배와 함께 족욕을 해드렸다. 침대에서 양 발을 마사지 하고 따뜻한 물에 발을 담은 상태에서 부드럽게 마사지했다. 1주일 만이라는 데 때가 많이 밀렸다. 처음 대하는 남자 봉사자들의 족욕에 마음이 풀리셨는지 감사함을 여러 번 전한다.

박 선배는 남편과 아이들 이야기로 말문을 터갔다. 남편이 신문기자였다는 말에 "똑똑한 남편 덕에 많이 힘드셨을 듯싶다."고 응답하자, 환자는 "이루 말할 수 없이 많다."며 아쉬움을 표한다. 박 선배는 "그래도 육십 평생 함께 살아온 것은 좋은 점도 많았기 때문이 아니겠냐."며 위로했다.

오랜 간호로 지친 상태에서는 환자와 간병인 모두 악마와 천사를 오가는 모양이다. 그게 우리네 삶이니 서로 위로하고 격려하며 남은 삶을 잘 마무리 할 수 있도록 노력할 일이겠다.

하지만 이제 나는 "신은 우리 모두에게 천사들만 보내주셨다."라는 말을 믿는다. 우리 자신을 힘들고 고통스럽게 하는 상대가 이번 생의 나의 성장과 진화를 위해 내가 요청한 관계임을 깨닫는 것이 중요하다.

나는 인생은 한 편의 연극이요, 드라마라고 생각한다. 나의 요청으로 기꺼이 악역을 맡아 연기하고 있는 상대도 나도 천사라 믿는다.

부종 환자 첫 목욕

11월 중순, 수요 팀 한 자원봉사자 친한 친구 분이 암으로 갑작스러운 죽음을 맞았다는 소식을 전해 분위기가 숙연해졌다. 아침 회의에서 코디 간호사는 지난 주 목욕했던 환자가 너무 감사했다며 오늘도 목욕을 희망했다며 전한다.

욕창이 있고, 투석을 하고 있는 환자라 상처 부위가 많아 오늘도 조심스럽게 목욕을 진행했다. 그래도 환자 스스로 조금씩 몸을 움직여 도움을 주려 애쓰는 모습이 역력했다. 오늘도 환자는 섬망 상태에서 간병하고 있는 부인에게는 여전히 천사와 악마가 교차하고 있단다.

목욕을 마친 후, 병실을 찾은 박 선배가 30대 중반 젊은 환자를 설득해 평소 잘 안하려는 목욕 희망을 이끌어냈다. 일반적으로 젊은 환자들은 누군가의 도움을 받는데 주저함이 있다. 젊기도 했지만 부종이 심한 환자라 심한 통증으로 침대에 눕는 일이 힘겨운 환자였기 때문이었다. 박 선배는 눕지 않고 휠체어에 앉아 목욕을 할 수 있다고 안심시켰던 것이다.

그래도 젊은 환자라 몸을 가누기도 힘든 상태였음에도 스스로 일어나 휠체어로 옮겨 앉으려 애썼다. 휠체어 목욕은 나도 처음인지라 정, 박 선배의 조언을 받으며 천천히 목욕을 도왔다. 부어 오른 몸 상태인지라 옷을 벗고 입는 일이나 몸에 손을 대고 옮기거나 씻기는 과정에서 수시로 통증을 호소하기에 더욱 조심스러웠다. 천천히 환자 본인 의사와 몸 상태를 주시하며 그때 그 때 상황에 맞게 목욕을 돕는 수밖에 없다. 오랜만의 목욕이라 힘든 과정이었음에도 다 마치고 나니 환자와 간병하는 어머님의 만족스런 표정이 엿보인다. 환자의 눈빛이 달라졌다.

자원봉사자들 얼굴에서도 땀이 흐른다. 개인적으로 오늘 오전 큰 수술을 앞두고 있는 딸에게 가까이서 함께 하지 못한 안타까움을 멀리서 무사 기원의 마음을 담아 더욱 정성을 쏟았다.

간병 도우미 실습생과 함께한 발 마사지

11월 하순, 오전 회의에서 코디 간호사는 대부분 환자 상태가 안 좋아 목욕 희망자가 없단다. 꽃꽂이 진행을 도와주면 좋겠단다. 한편 지난주에 이어 오늘은 호스피스 간병 도우미 실습생들이 11명이나 나와 있음을 전했다.

이들 실습생은 호스피스 간병 보조 활동 인력으로 호스피스 가족 간병 부담을 덜어주기 위해서 완화의료 병동에 입원한 환자에게 호스피스 보조 활동서비스를 전담하여 제공하는 요양보호사를 말한다.

호스피스 보조 활동 인력이 되려면 요양보호사 자격증을 소지하고, 한국호스피스나 완화의료학회에서 주관하는 40시간 완화의료교육과정(이론 20시간, 실습 20시간)을 이수하고, 필기시험에 합격(60점 이상)하고, 실습과제물을 제출하여 평가기준에 도달해야 한다.(출처 : 중앙호스피스센터)

남자 병실을 혼자 들러 환자와 보호자에게 인사를 전

했다. 간병 도우미 실습생이 네 명이나 자리하고 있어 병실이 좁은 느낌이다. 도우미 실습생들은 경기도에서 왔다며 실습의 어려움을 전했다.

다시 한 번 호스피스 전문 의료기관 설립과 확충에 대한 일반 국민의 관심과 정부의 적극적인 정책 노력이 필요함에 함께 공감했다.

마침 한 환자 보호자가 발 마사지 요청을 해 도우미 실습생들과 함께 내 자신 처음 기본교육과 실습 때 선배 자원봉사자들로부터 배운 대로 발 마사지를 진행했다. 도우미 실습생들은 이런 기회는 처음이라며 적극적으로 배우는 자세를 보였다.

발 마사지를 끝내자, 다시 옆 환자 보호자도 발 마사지를 요청한다. 코디 간호사 승낙을 받고 도우미 실습생들과 함께 성의껏 도움을 드렸다.

수요 팀 선배 봉사자들이 잠시 둘러보며 믿고 맡기고는 이제 혼자서도 잘 한다며 격려를 보냈다.

자원봉사자 심화교육, 비폭력 대화

11월 하순, 오늘은 호스피스 자원봉사자 심화교육이 예정되어 병동에서의 봉사활동을 쉬었다.

2층 암 병동 세미나실에서 열린 두 시간의 심화교육 주제는 '비폭력 대화'였다. 교사 시절, 전문성 신장과 아이들 생활지도 방안으로 많은 시간 연수도 받고 실제 적용도 했던 주제였다. 오랜만에 다시 듣는 비폭력 대화 강의에 새삼 배움이 깊어졌다.

관찰, 느낌, 욕구, 부탁 네 단계로 진행되는 비폭력 대화법 강의에 자원봉사자들 반응이 매우 호의적이다. 호스피스 환자와 가족, 자원봉사자 간 올바른 대화법은 큰 도움이 될 것이라 보기 때문이다.

비폭력 대화는 학교인종통합프로젝트에서 중재와 의사소통방법을 가르치면서 처음으로 비폭력대화 교육을 시작한 임상심리학 박사인 로젠버그에 의해 체계화된 대화법이다. 그는 국제적 평화단체인 비폭력대화기구의 설립자이기도 하다. 아래는 그의 책 속 한 문단이다.

"공감이란 다른 사람이 경험하는 것을 존중하는 마음으로 이해하는 것이다. 그러나 우리는 공감하는 대신에 자신의 견해나 느낌을 설명하거나, 조언하거나, 상대를 안심시키고 싶은 충동을 강하게 느낀다. 그러나 공감은 우리의 마음을 비우고 온 존재로 다른 사람의 말에 귀를 기울일 것을 요구한다."(출처 : 『비폭력대화』)

자세한 내용은 비폭력대화를 소개한 책 『비폭력대화』(마셜 B 로젠버그 지음, 캐서린 한 번역, 한국NVC출판)를 참고하면 좋겠다.

이와 관련해 정신과 전문의인 정혜신은 그의 책 『당신이 옳다』에서 우리는 '충조평판'(충고, 조언, 평가, 판단)을 하지 말아야 한다고 했다. 공감되는 말이다.

가정이나 사회에서 제대로 된 대화법을 배우지 못하는 우리이기에 제도적으로 모든 이들이 어렸을 때부터 공감과 수용의 대화법을 익히고 생활화 할 수 있도록 해야겠다는 생각을 더욱 해보게 된 오늘 교육이었다.

목욕으로 마음의 문을 열다.

12월 중순, 오늘은 나의 첫 책 출간 기념 북 콘서트가 있는 날이었지만 이미 준비를 어느 정도 마친 상태라 호스피스 병동으로 향했다. 이번 겨울 가장 추운 날씨 탓인지 회의에서 코디 간호사 전언은 환자 상태가 전반적으로 나빠 목욕 희망자가 없으니 대화에 주력해 달라는 주문을 했다.

반갑게 맞아주는 보호자가 있어 대화를 나누던 중 팀장을 맡고 있는 선배 봉사자의 급한 도움 요청이 전해졌다. 가보니 마땅히 간병을 제때 도움 받고 있지 못한 환자가 소변처리가 잘못되어 있었다. 환자복과 침대 시트까지 모두 젖어 냄새를 심하게 풍기고 있어 도움이 시급했다.

본인은 원하지 않았지만 간호사와 선배 봉사자들과 함께 환자를 설득해 목욕을 하겠다는 동의를 이끌어냈다. 병실에서 하기 어려운 작업이었고, 타인의 도움을 경계했던 환자의 자존심 탓인지 오랫동안 목욕을 하지 않았기에 꼭 필요한 일이기도 했다.

그동안 수없이 진행했던 일이었지만 평소 마음의 문을 굳게 닫고 있던 환자이기에 본인의 의사를 물어가며 조심스럽게 목욕을 진행했다. 다행히 환자가 조금씩 마음의 문을 열며 몸을 움직여 도움을 준다. 선배들은 특별히 더욱 천천히 더운 물로 몸을 적시고 씻겨가며 대화를 나눈다. 오랜만의 목욕이라 때도 많이 밀리지만 수염도 길어 면도가 필요했다.

목욕이 주는 편안함 때문인지 환자 반응이 차츰 안도와 신뢰의 느낌으로 전해오기 시작한다. 평소보다 두 배가 넘는 시간 속에서 깨끗이 몸을 닦고 새로 옷을 갈아입으니 다들 보기 좋다고 덕담을 건넨다. 환자도 조용히 고마움을 전한다. 환자가 목욕하는 동안 침대 시트도 수월하게 갈 수 있었다.

환자의 닫힌 마음의 문을 열고, 신뢰를 쌓아가는 가장 좋은 방법이 목욕이나 족욕, 마사지임을 새삼 실감한 뜻깊은 날이었다.

죽음의 길목, 비로소 보이는 삶의 의미들

12월 하순, 오늘은 추운 겨울이라 목욕 희망 환자가 없어 박 선배와 함께 병실 안에서 세 환자 족욕과 손(수)욕을 해드렸다. 대야에 더운 물을 받아 손발을 닦아 드리며 마음의 문을 열고, 대화를 나누기 위함이다. 노련한 솜씨로 환자의 닫힌 마음의 벽을 허물며 조금씩 다가가려 노력하는 박 선배를 옆에서 보조하며 마음속으로 감탄했다.

12월 말, 마지막 봉사활동은 개인 사정으로 호스피스 병동 가족들과 함께하지 못했다.

2018년 1월 초, 다시 병동으로 향했다. 9시 30분에 갖는 코디 간호사와 자원봉사자 간 회의는 언제나 정겹지만 참 진지한 시간이다. 4개 병실 13분 환자의 현재 상태와 보호자, 가족관계까지 기본적인 정보가 공유되고, 주의사항 및 목욕과 마사지가 필요한 환자와 함께 특별히 관심 갖고 돌봐주기를 바라는 점들이 요청된다.

오늘은 세 분 환자 이야기가 중심이 되었다. 한 사람의 일생을 그 짧은 시간에 이해하고 현재 상태를 올바르게 바라본다는 것은 불가능한 일이다. 살얼음을 딛듯 조심스럽게 접근하는 노력이 중요하다.

이혼과 재혼 과정에서 겹쳐진 복잡한 가족관계, 그 오랜 삶의 과정에서 굳어진 상처가 죽음을 앞둔 마지막 길목에서 치열하게 부딪힌다. 어차피 변할 수 없을 것이라는 체념에 모든 것을 안고 가려는 환자와 끊임없이 용서를 구하지만 너무 늦어 안타까움만 깊어가는 일이 흔한 것이다.

그 속에서 화해와 용서로 가는 길목을 안내하려는 호스피스 팀원들의 간절한 마음과 몸짓이 작지만 빛을 발할 때가 많다. 이제 마음을 비울 수 있기에 가능한 일인지 모르겠다.

오늘은 정, 박 선배와 함께 50대 후반 남자 환자 목욕을 도왔다. 스스로 특수목욕실까지 혼자 걸어와 목욕을 한 첫 환자였다. 옷을 벗고 입는 일이나 자세를 고치는 일 등 적극적으로 목욕을 돕는다. 목욕 후에는 고맙다고 깍듯이 인사하는 모습에 친근함이 느껴진다.

남자 병실에서는 어제 입원한 70대 초반 환자가 꽃꽂이 하러 간 아내 대신 자리를 지켜드리러 온 나를 반갑게 맞이한다. 불편한 것이 없는지, 도와드릴 일은 없는지 조심스레 다가서는 나에게 말문을 튼 것이다.

환자 옆 보조 침대에 앉아 어디가 아픈지, 그동안 치료과정은 어떤지, 아쉬움은 무엇인지 간간히 질문을 드렸지만 오히려 모처럼 기분이 나아졌는지 환자 자신이 조용히 이야기를 이어간다. 고개를 끄덕이며 잘 들어드리면 되는 흔하지 않는 상황이다. 정 선배가 다가와 손과 어깨를 마사지 해 드리자 잠시 후 괜찮다 마다한다. 아직은 홀로서기에 대한 자신감과 애착이 남아있는 모양이다. 목욕 권유도 마다한다.

죽음도 인정하고 받아들인다는 환자 모습에서 아내의 자상함과 사랑이 느껴진다는 정 선배의 통찰이다. 아내분이 꽃꽂이 작품을 가져오자 환자가 관심을 보인다. 아내가 환자의 기분이 좋아졌다며 감사함을 전한다.

죽음의 길목, 삶의 마무리를 돕는 손길들

2018년 1월 초순, 병동에 들어서며 자원 봉사자실 바로 옆 임종실에서 터져 나오는 가족의 울음소리를 대했다. 이혼과 재혼 과정 속에서 풀지 못한 평생의 한을 마음에 안고 가겠다고 했던 환자가 이제 이승을 떠나는 순간이다. 다행이 주말을 지나며 남편과 전처 소생의 두 딸과 두텁던 마음의 장벽을 허물고 가슴 속 깊이 응어리진 한을 풀고 떠나셨단다. 중간에서 마음 졸이며 상담을 진행했던 간호사가 아쉬움 속에서 사연을 전하며 조금은 마음이 놓인단다.

지난주 처음 병동에 입원해 홀로서기 해보려 애쓰며 목욕도 마다했던 환자가 나이 차가 많은 아내의 권유로 오랜만에 목욕을 희망했다. 정, 박 선배와 함께 목욕을 해드렸다. 환자들은 목욕을 하고자 하는 마음을 먹기도 쉬운 일이 아니다. 호스피스 병동 생활을 현실로 받아들이기 어려운 환자들이 시간이 지나며 떨어지는 기력과 함께 기대와 욕심을 내려놓기에 가능한 일이다. 한편으로는 애잔한 느낌을 지울 수 없다.

1월 중순, 다시 찾은 병동은 비가 오는 저기압 날씨만큼 환자 상태도 더욱 깔아진 모습이다. 목욕과 마사지 희망 환자가 없다더니 2인실로 옮긴 나이 차가 많은 아내를 둔 환자가 목욕을 신청했다. 일주일 사이에 기력이 많이 빠진 모습이다. 그래도 스스로 몸을 움직여 옷을 벗고 입는 일을 도우려 하고, 목욕이 끝나자 고마움에 봉사자들과 일일이 포옹까지 했다.

박 선배는 그래도 환자가 아직까지 마음의 문을 열지 못하고 있다며 안타까워했다. 죽음을 직면하면서도 그를 받아들이기가 쉽지 않을뿐더러 사랑하는 이들과의 헤어짐, 복잡한 가족 관계 등 정리가 쉽지 않을 것임을 조용히 전한다.

박 선배가 이어 찾은 환자는 미리 마음에 둔 점이 있는지 어깨와 등, 팔과 손을 마사지 하며 끈기 있게 대화를 유도했다. 조금씩 마음의 문을 연 환자가 6년 전 암 선고를 받던 날의 심정, 숱한 진료 과정, 어려웠던 수술, 6년을 덤으로 살고 있는 자신의 지나온 삶을 담담히 회고했다. 어려운 이웃에게 더 많은 정성을 보내고자 했던 자신의 삶이 이웃 어르신들의 병문안을 통해 격려 받았음을 전하며 미소 지었다. 삶에 대한 기대와 욕심을 내려놓기가 힘들고, 통증으로부터 벗어나기 어려워 여유를 가질 수가 없다며 속 깊은 이야기까지 전한다.

죽음을 앞둔 호스피스 환자들은 남아 있는 삶의 소중함이 그 어느 때보다 강렬할 것이다. 이 순간이야말로 환자와 가족 모두에게 주어지는 특별한 선물 같은 기회이기도 하다. 그간의 아쉬움과 미련을 내려놓고 화해와 용서로 서로를 격려하고 수용해야 할 순간이다.

선각자들은 우리가 죽기 전 지니고 있던 가장 강렬했던 생각이 죽은 후 뚜렷하게 나타나게 된다고 강조한다. 따라서 죽기 전까지도 물질적 탐욕이나 원한과 분노와 같은 조절되지 않은 자기 생각을 지니고 있었다면, 죽은 후 그 생각이 즉시 현실에 창조되어 나타난다는 것이다. 우리가 죽기 전, 사랑과 용서 그리고 기도와 명상으로 조절되는 자기의식을 지녀야 하는 이유이다.

새삼 깨달은 목욕실 중간 커튼의 의미

1월 하순, 회의 후 선배 봉사자들과 함께 목욕을 희망한 환자를 씻겨드리고, 병실에 머무르고 있는 환자와 가족의 자리를 지켜드리며, 꽃꽂이를 통한 원예치료 활동을 지원했다.

호스피스 자원봉사 활동에서의 배움은 선배 자원봉사자들과의 대화가 큰 힘이 되었다. 점심식사 후 오후 팀과의 교대를 기다리는 잠시의 시간은 봉사자 간 의미 있는 대화가 오가는 자리이다.

오늘은 책상위에 붙은 「일반인을 위한 호스피스 교육」 안내문이 화제가 되었다. 3일 간 20시간 진행되는 기본교육은 주로 전문가 강의와 실습으로 이루어진다. 이번에는 선배 자원봉사자들의 경험 사례를 공유하는 70분 강좌가 새롭게 개설되었다.

1년 전 기본교육을 받았던 나로서는 지금 생각해보면 자원봉사자로서 호스피스 활동을 하며 제대로 배우고 성장하는데 선배 자원봉사자 도움이 무엇보다 컸음을 고백하며 아래와 같은 예를 들었다.

"오늘 목욕을 준비하며 그동안 무심코 의식하지 못했던 목욕실 중간 커튼의 의미를 새삼 깨닫게 되었다. 정 선배는 환자가 바뀐 환경에서 받게 되는 불안감을 덜어주고, 겨울철 보온에 도움을 주는 등 중간 커튼의 의미를 스치듯 이야기 했다."

호스피스 자원봉사자 자격을 얻기 위한 20시간 기본 교육에 있어 선배 자원봉사자들의 경험과 지혜를 구체적 사례를 통해 접할 수 있도록 교육과정을 편성한 것은 참 잘된 일이다.

나는 교사로 이를 경험으로 체득했다. 교사의 수업전문성을 신장하기 위한 가장 좋은 방법은 선후배 교사들의 수업을 공개하고, 그를 참관하며, 수업협의회를 통해 함께 배움을 공유하고 성장하는 일이었다. 그 중심에는 언제나 학생의 배움이 있었다. 병원에서는 환자가 그 중심이다.

환자를 간병하는 아들과 아내의 인상적인 모습

2월 초순, 회의에서 코디 간호사는 남녀 두 환자 목욕과 80대 남자 환자와 간병하는 부인에 대한 돌봄을 중점적으로 요청했다.

오늘 봉사활동은 목욕을 희망한 두 환자 돌봄이 주였다. 내가 참여한 80대 남자 환자는 다리 골절 수술로 거의 한 달 만의 목욕이라 조심스럽기도 했지만 간병을 맡은 아들의 참여로 큰 도움이 되었다. 골절환자를 침대에서 목욕침대로 옮기는 일은 생각보다 쉽지 않다. 슬라이드라 불리는 이동판을 이용하지만 여러 사람의 조화된 힘이 필요하다. 고교교사로 근무하는 아들은 아버지의 사랑을 많이 받았는지 세심한 돌봄으로 적극적인 참여 모습을 보여 감탄을 자아냈다.

친근한 말투, 몸을 씻기는 적극적 모습과 함께 침대 시트를 갈아 놓은 상태를 보니 보통 꼼꼼한 것이 아니다. 침대보 위에 신문지를 깔고 천 깔개와 기저귀를 차례로 펼쳐놓은 모습은 처음 보았다. 긴 병환에 간병하는 이들의 노고는 말할 수 없다. 특히 아들과 남편의 정성어린 간병 모습은 드문 예다.

남자 다 인실에는 80대 남자 환자를 돕는 아내 모습이 감동적이다. 간병하는 80대 아내도 관절염에 고혈압 등으로 어려운 상태라 간호사들은 두 환자를 돌봐야 하는 걱정에 안쓰러워한다. 간병인을 두기도 했지만 남편 곁에 자신이 있어야 안심한다며 한사코 마다했단다. 하지만 옷을 갈아 입혀 드리고, 식사를 돕는 아내 모습이 힘겹다.

자식들이 잘 성장한 것은 참 자랑스럽고 뿌듯한 일이지만 늘 바쁘기에 간병에는 별 도움이 되지 못한다. 노후를 건강하게 보내는 것은 축복이다. 게다가 부부가 함께 돌봄을 나눌 수 있다면 얼마나 좋겠는가.

우리는 환자와 가족의 모습을 보며 자신을 마주한다. 그 모두가 우리에게 더없는 은총으로 다가올 수 있도록 늘 사랑의 마음으로 마주해야 하겠다고 다짐해본다.

돌봄에 대한 환자의 거절

2월 중순, 명절 연휴로 2주 만에 호스피스 병동을 찾았다. 게시판을 보니 그동안 많은 분들이 임종했음을 알 수 있었다. 자주 나오지 못하니 대부분 새로운 환자들이다.

코디 간호사 부탁으로 새로 들어온 환자 적응을 돕기로 했다. 양 선배와 함께 병실을 찾았다. 마침 환자가 앉아 있어 반갑게 인사를 하고 돌봄 의사를 전했지만 허리 통증이 심한지 반응이 없다. 환자가 통증이 심해 누울 수가 없고 속이 메스꺼워 괴롭다며 힘들어 한다. 내가 양해를 구하며 살며시 어깨에 손을 얹자, 그도 힘들다며 마다한다.

자원봉사실에서 휴식을 취할 때 나는 위 사례를 전하며 선배들에게 돌봄 지원을 위해 환자에게 다가가기 위한 어떤 좋은 방법이 있겠는지 물었다. 박 선배는 새 환자와 관계를 트기 위한 사전 노력의 중요성을 목욕과 족욕의 예를 들어 강조한다. 정 선배는 환자에 접근하는 자세의 중요성으로 부드러운 청유형 목소리와 태도를 강조했다.

나는 이 모두가 환자 마음의 문을 열기 위한 기본 작업이라는 점에 공감했다. 환자의 동의와 요청을 이끌어내는 일이 우선이다. 목욕이나 족욕은 피부 접촉을 통해 사랑과 신뢰를 이끌어낸다. 부드러운 권유로 환자 마음을 열게 하는 것이 중요하다. 환자 표정과 숨결을 살피는 기다림의 시간이 필요하다.

촛불이나 달빛처럼 부드럽고 거부감 없는 다가섬이 봉사자에게 요구된다. 우리의 어린 시절 추억 속에 담겨있는 펌프에서 물을 끌어올리려면 한 바가지 마중물이 필요하다. 죽음과 죽어감의 길목에서 빛나는 삶의 순간들과 마주할 수 있도록 환자를 돕는 마중물이 봉사자의 모습이요, 역할이다.

내 자신 성급하게 환자의 몸에 손을 대려했다는 미숙함을 반성하며, 새삼 돌봄을 위한 기본 이해와 임상 경험의 중요성을 깨닫게 된 순간이었다.

선한 일도 짐 되면 벗어나야

4월 하순, 개인적인 지방선거 활동으로 인한 5주간 공백을 끝내고, 다시 일상으로 돌아와 호스피스 병동을 찾았다. 팀원들 환영이 참 반갑다.

오늘은 임종을 앞둔 환자가 머무는 사랑채에서 보호자가 면도를 요청했다. 정 선배와 함께 환자를 살펴보니 생각보다 수염이 길어 면도 중 다치지 않을까 염려되어 매우 조심스럽다. 뜨거운 수건으로 턱을 덮어 수염을 부드럽게 한 후 면도 거품을 발라 조금씩 면도를 진행했다. 다행히 일회용 면도기 사용이 가능해 썩 만족스럽지는 못했지만 긴 수염을 다듬어 내니 조금은 깔끔해졌다. 임종을 앞둔 환자를 대하는 마음은 보호자나 봉사자나 다 같다.

곧 이어서 남자 환자 목욕 신청이 들어왔다. 지난 주 휠체어에 앉은 채로 어렵게 목욕한 환자라 이번에는 목욕 침대를 활용하기로 동의를 구했다. 정, 양 선배와 함께 역할을 나누어 익숙하게 목욕을 진행했다. 부종이 심한 환자라 조금만 움직여도 고통을 호소해 나는 처음으로 마음이 불안했지만 다행히 별 문제 없이 목욕을 끝낼 수 있었다. 환자를 잘 아는 간병인 도움도 컸다.

뒤늦게 만난 박 선배가 면도에 대한 경험과 조언을 전해준다. 수염이 많이 길어 면도가 어려울 때에는 머리 깎는 기계(바리깡)을 활용해 안전하게 긴 털을 자른 후 일회용 면도기나 전기면도기를 사용하는 것이 좋다는 것이다. 그럼에도 불구하고 임종을 앞둔 환자에게 면도기와 같은 칼을 대는 일은 가급적 삼갈 필요가 있음도 전했다.

10년차 봉사자인 박 선배가 중요한 화두를 하나 둘 건넨다. 아무리 선한 일이라도 짐이 되는 듯싶으면 그 일에서 벗어나야 함을 최근 깨달았단다. 겸손한 자세다. 자신은 몇 년 후 이 일을 그만두게 되면 친절한 일을 하고 싶단다. 꽃을 가꾸는 일도 그 중 하나란다. 박 선배는 그 일이 무엇이든 간에 호스피스 봉사에 쏟은 열정, 영적 헌신의 모습으로 잘 해낼 것이다.

목욕 환자 이동 시 유의점

호스피스 병동 환자에게 목욕은 여러모로 큰 의미를 지닌다. 피폐해진 심신의 건강과 치유, 닫힌 마음과 관계의 벽을 허무는 데 많은 도움을 준다. 하지만 스스로 움직일 수 없는 중증 환자를 병상에서 목욕용 침대로 옮기는 일은 쉽지 않은 일이다. 이를 위해 통증 없이 원활한 이동을 돕기 위해 고안된 슬라이드라는 헝겊을 덮은 나무 판을 사용한다.

2019년 2월 중순, 흑색종이라는 피부암을 갖고 있는 여자 환자 목욕을 맡은 여자 봉사자들 요청으로 환자 이동을 도우려다 난감한 상황에 부딪쳤다. 환자가 피부암으로 인한 상처 관계로 환자복을 입지 않고 덮고만 있었던 것이다. 슬라이드를 이용한 이동 시 늘 환자의 옷을 잡고 옮겨드렸는데 마땅히 잡을 곳이 없었다. 할 수 없이 여러 사람이 상처부위를 피해 몸을 들어 간신히 목욕 침대로 옮겼지만 간간히 들리는 환자의 고통스런 신음을 피할 수 없었다.

환자 이동을 돕고 자원봉사실로 돌아와 안타까운 마음에 직전 상황을 박 선배에게 전했다. 박 선배는 대뜸 그럴 때에는 큰 수건이나 넓은 패드를 바닥에 깔고 수건이나 패드를 들어 환자를 옮기는 것이 보다 올바른 방법이라며 아쉬워했다. 아차, 싶었다. 호스피스 병동에서 목욕 봉사 중 처음 있는 사례라 미처 생각지 못했다며 좋은 배움의 기회가 되었음을 고백했다.

고통 속에서도 더 없이 맑고 순수한 눈빛을 지닌 인상적인 환자였다. 자신의 고통이 주는 의미와 가치를 깨닫는 영적 성장을 통해 아름답게 삶을 마무리하기를 기원했다.

나는 영적 탐구에 몰입하면서 이 세상에 우연이란 없다는 것을 믿게 되었다. 우리의 모든 사건과 상황 속에는 신의 완벽한 계획, 자신의 요청과 선택이 자리하고 있다. 남들보다 더 힘든 삶을 계획하고 선택한 이들은 어쩌면 우리보다 훨씬 앞서가는 영혼일지 모른다. 모든 고통도 순간이요, 그 고통 속에 담긴 의미를 깨닫는다면 영혼의 진화와 성장을 크게 앞당길 수 있을 것이다.

말기 암 환자의 문병은 필요할까?

2019년 4월 하순, 오전 회의를 끝낸 후, 내 자신 궁금했던 점을 박 선배에게 물었다.

"말기 암 환자의 문병에 대해 어떻게 생각하시나요?"

박 선배가 답했다.

"일단 환자나 가족은 몹시 수척해지고 달라진 환자 모습을 보여주고 싶지 않은 마음이 크겠지요. 하지만 호스피스 돌봄의 기본은 그런 환자와 가족의 닫힌 마음을 자연스럽게 열 수 있도록 돕는 일이 중요하다고 생각합니다. 아름다운 삶의 마무리는 가까웠던 사람들과 함께했던 순간의 행복함과 감사함을 나누고, 부족함과 미안함에 대한 화해와 용서의 시간을 가질 때 이룰 수 있다고 하지요. 아마도 환자는 오랜 투병 생활로 지쳐 있겠지만 마음속으로는 가까운 분들을 만나고 싶어 하지 않을까요. 환자가 보여주는 모습 그 자체와 환자의 간곡한 호소가 남아 있는 이들에게는 소중한 교훈으로 자리하리라 믿습니다."

나는 마음속으로 깊이 공감했다.

물론 정답은 없다. 죽음을 앞둔 환자 마음에 공감하는 일이 우선일 것이다. 독일에서 저널리스트로 활동하고 있는 롤란트 슐츠는 모든 사람들이 겪게 될 생의 마지막 여행에 대해 묘사한 그의 책 『죽음의 에티켓』에서 이와 관련해 다음과 같이 말했다.

"죽음은 인간을 벌거벗깁니다. 내가 누구인지 다 드러날 때까지 말입니다. 어떤 이들은 큰 충격을 받습니다. 왜 이런 당신을 보게 되었는지를 자문하게 됩니다."

"죽어가는 사람들은 친구나 가족이 아니라 타인에게 더 큰 편안함을 느낀다고 합니다. 사심 없이 자신을 맡기고, 자신의 죽음에 대해 이야기합니다. 상대가 자신의 과거를 모르고 오로지 현재만을 안다는 것이 그들을 해방시키는 모양입니다. 그들은 감추고 드러내지 않던 감정들과 생각을 털어놓습니다. 호스피스 봉사자들도 이런 특별한 관계를 체험합니다. 죽어가는 사람들의 섬뜩한 진솔함을 말입니다."

젊은 환자 앞에서는 더욱 겸손해야

4월 하순, 호스피스 병동에 입원한 다 같은 말기 암 환자들이지만 30-40대 젊은 환자를 대할 때는 왠지 더 측은한 마음이 드는 것은 인지상정인 모양이다. 환자 본인이 지고 있을 삶의 무게를 가늠하기 어렵기도 하고, 간병하는 가족의 깊은 회한을 당사자가 아닌데 어찌 느낄 수 있을까.

닫혀 있는 침대 커튼만큼 환자와 가족의 요청이 없으면 다가가기 더욱 어렵다. 젊은 환자일수록 고통이 주는 삶의 의미를 깨닫고 받아들이기에는 더욱 힘겨울 듯하다. 섣부른 격려와 위로도 괜한 짐으로 다가서지 않을까 염려가 깊다.

봉사자들 간의 대화 속에 박 선배가 명언을 건넨다.

"젊은 환자 앞에서는 더욱 겸손해야겠지요."

정 선배가 당연한 말이라며 동의를 표한다.

나 역시 아무리 돕고자 하는 선한 마음이 있더라도 살얼음을 딛듯 꼭 필요한 시점에 조심스럽게 다가서려는 자세의 소중함을 일깨우는 한 마디로 공감했다.

지난 날 나는 불운함을 겪고 있는 사람들에 대해 깊은 연민을 갖고 대했다. 그들의 불행을 운명적으로 생각하기도 했다. 한편 그 불행을 이겨내도록 하는 사회와 국가의 제도적 지원이 필요함을 인식했다.

이제 나는 모든 불공평함과 불운을 겪고 있는 사람들을 대하는 나의 태도가 달라졌음을 안다. 그 모든 불운한 이들의 선택들 뒤에 담겨져 있는 신의 고귀한 계획과 진화 과정을 알게 되었기 때문이다. 나는 영적 차원에서 이 세상의 삶에서 불운함이란 없다는 것을 안다.

이에 나는 내 자신이 그들을 돕는 길은 그들과의 관계에서 '자신이 누구이고, 어떤 존재가 되고자 하는지' 판단하고, 만일 자신을 도움과 사랑으로 체험하고 싶다면 어떻게 해야 그런 것들이 가장 잘 될 수 있을지 자세히 살펴볼 것이다.

나아가 나는 어떤 사람에게 줄 수 있는 가장 큰 도움은 그를 깨어나게 만드는 것, 그에게 '자신이 참으로 누구인지' 기억하게 만드는 일임을 안다. 나는 그들을 혼자 내버려두거나, 그들 스스로 그 계획과 선택 뒤에 자리한 자신의 참된 모습을 기억해낼 수 있도록, 자립할 수 있도록 하는 일이 그 일임을 안다.

말기 암 환자 문병이 갖는 소중한 의미

5월 초순, 임종을 앞둔 호스피스 병동 말기 암 환자 모습은 평소와는 크게 다르다. 오랜 항암치료 등으로 인한 심신의 부정적인 변화는 환자와 가족들을 지치고 힘들게 한다. 가까웠던 직장동료들의 문병 의사에도 손사래 치며 마다하게 마련이다.

췌장암 말기로 호스피스 병동에 입원한 잘 아는 선배의 경우도 그랬다. 아마도 자신의 달라진 초췌한 모습 속에 오랜만에 찾을 동료들의 부담감까지도 배려하고자 하는 마음에서 일 것이라 짐작된다. 하지만 사양하는 첫 반응 속에서 그래도 괜찮다 하는 눈빛을 읽을 수 있었다. 지난 번 박 선배와 나눴던 말기 암 환자에 대한 문병의 필요성에 공감한 그 때였다.

그 후 가까웠던 직장 동료 몇몇이 어렵게 시간을 내 문병했다. 반가운 인사와 함께 자신의 직업적 본분에 최선을 다한 환자의 훌륭했던 삶을 위로하고 격려했다. 손을 잡고 함께 기도했다. 간병에 최선을 다한 아내의 수고로움을 경청했다.

며칠 후 편안하게 임종한 선배의 장례식장에 조문을 다녀온 직장 후배는 아내로부터 "남편이 가까운 직장 동료들이 찾아 왔었느냐며 묻곤 했었다."는 말을 들었음을 전했다. 조문을 함께했던 친한 동료들은 아쉬움 속에서도 임종을 앞둔 말기 암 환자에 대한 문병의 소중한 의미를 공감했다.

지난 날 나는 세상의 불공평함이 운명이라 보았다. 그 운명에 맞서 싸우는 투쟁의 과정이 역사라 보았다. 모든 사람들이 갖는 생존권과 건강의 차이도 능력과 운명에 따른 공평함으로 보았다. 각자가 처한 상황과 사건들은 운명적으로 또는 우연히 그리된 것이라는 현실 체념의 생각이 있었다. 타고난 복이라는 어른들의 푸념 섞인 자조를 거부하지 못했다.

그러나 앞서 말한 대로 이제 나는 세상에 우연이란 없다는 것을 확신한다. 세상의 모든 유 불리함 속에도 그 모든 것이 자신의 숭고하고 완벽한 계획과 선택일 수 있다는 영적 진리가 담겨 있음을 믿는다.

임종을 앞둔 환자를 위한 영적 돌봄 사례

5월 하순, 어제는 부부의 날이었다. 둘이 하나가 된다는 의미에서 정해진 날이라고 최 선배는 친절히 설명했다. 오후 회의에서 코디 간호사가 요청한 남자 환자 목욕을 끝내고, 임종을 앞둔 여자 환자 체위 변경을 돕기 위해 박 선배와 신입인 송 봉사자와 함께 임종실인 사랑채를 찾았다.

환자는 의식이 없는 상태에서 눈을 감은 채 호흡 보조 기구의 도움을 받아 약간은 가쁜 숨을 내쉬고 있었다. 환자 곁을 지키며 남편과 아들이 마지막 가는 길을 지키고 있었다. 우리와 함께 욕창 방지를 위한 체위 변경을 조심스럽게 진행했다.

늦은 점심을 위해 남편이 자리를 비우자, 박 선배가 남편 자리에 들어섰다. 박 선배는 환자의 손을 잡고 "남편과 아들이 이 자리를 함께하니 지금 이 순간이 참 소중한 시간이라 생각이 든다."며 조심스럽게 말문을 열었다. 환자의 얼굴에는 아무런 변화가 없다.

박 선배는 이어 아들을 바라보며 "어머님이 이 순간 가장 걱정되는 부분이 있다면 무엇일까요?"라고 물었다. 아들은 겸연쩍은 듯 미소 지으며 "아마도 아들인 저를 가장 걱정할거예요. 제가 급하고 신중하지 못한 행동으로 몸을 다친 적이 많았거든요."라고 답하며, "이미 어머님께 앞으로 잘 하겠으니 걱정 마시라고 말씀드렸다." 고백했다.

박 선배는 "그렇다면 아드님께서 이 자리에서 다시 한 번 앞으로 좀 더 신중한 행동으로 몸과 마음을 다치는 일이 없도록 하겠다는 약속을 드린다면 어머님이 걱정을 내려놓으시고 마음을 편안하게 가질 것 같다."고 천천히 또박또박 말했다.

그 순간 환자가 눈을 떴다. 동시에 입술을 떨며 무언가 말을 하려고 애쓰는 표정이 나타났다. 그 장면을 지켜보던 나는 가슴 한편으로 표현할 수 없는 전율이 스쳐 지나감을 느꼈다. 말 못하는 환자의 간절한 염원이 박 선배를 통해 30대 후반인 미혼의 아들에게 전해지는 그 영적 대화의 순간은 아닐까 생각이 들었다. 바로 그 자리를 나와 아들에게 소중한 자리를 넘겼다.

우리는 팀 회의를 통해 임종을 앞둔 환자의 가장 중요한 돌봄이 무엇인지에 대해 진지한 대화를 나눴다. 방금 전 그 장면을 복기하면서 임종을 앞둔 환자를 위한 영적 돌봄의 한 사례로 좋은 배움의 계기가 되었음을 다 같이 공감했다.

정현채 교수의 책 『우리는 왜 죽음을 두려워할 필요 없는가』에는 영국의 정신과 의사 피터 펜윅이 그의 저서 『죽음의 기술』에서 '평화로운 죽음을 위한 권면'으로 전하는 다음과 같은 글이 담겨있다.

"훌륭한 죽음에 방해가 되는 가장 큰 장애물은 채 마무리 짓지 못한 일이며, 그 일을 해결하는 가장 중요한 방법은 화해이다. 또한 우리는 다른 사람을 용서하고, 그들의 용서를 구하고, 자신의 잘못이나 오해에 대해 스스로를 용서할 필요가 있다. 만약 당신이 죽어 가는 사람을 돌보고 있다면, 그들을 위해 해 줄 수 있는 가장 값진 일은, 그들에게 깨어졌거나 위기에 처한 인간관계를 바로잡을 기회를 만들어 주는 것이다. 이런 화해가 중요한 것은 죽어 가는 사람이 평화롭게 세상을 떠나도록 만들기 위해서만은 아니다. 그것은 뒤에 남는 사람들도 죄의식을 느끼지 않은 채 평화로운 이별을 하도록 만들기 때문이다."

나는 영적 돌봄이란 몸과 마음의 이원론적 존재관을 넘어 몸과 마음과 영혼이 조화된 삼중의 존재임을 수용하는데서 출발한다고 믿는다. 이런 믿음은 우리의 삶을 일회적 삶이라는 관점에서 영원불멸하는 영적 존재라는 삶의 관점으로 모든 사건과 상황을 볼 수 있게 만든다.

세상을 창조하고 주관하는 신의 존재를 믿고, 그 신의 무한하고 영원하며 자유로운 사랑 속에 자신의 삶을 가꿔 가는데서 영적 돌봄이 이루어진다고 생각한다.

나는 윤회를 믿기에 이번 생에 내가 요청하고 선택한 과제를 충분히 체험하고 나면 우리는 몸의 형상을 벗고 사후세계로 가 다음 생을 준비하게 된다고 믿는다. 이에 죽음이란 마지막을 의미하는 끝이 아니라 나의 영적 진화를 위한 새로운 시작을 의미한다. 따라서 나는 죽음은 슬픔이 아닌 기쁨의 순간임을 자각한다.

침상 목욕, 체위 변경, 휴게실 이동 돌봄의 배움

6월 초순, 오전 돌봄 중 남자 환자 침상 목욕은 나의 또 다른 경험이었다.

의식이 저하된 상태에서 혈압이 높아 물을 대기가 어려운 환자였다. 특수목욕실에서 침대 위에 누운 채로 따뜻한 물수건을 이용해 몸을 씻겨드렸다. 침대 밑에 방수 천을 깔고 정, 권 선배와 함께 양 선배가 짜주는 작은 수건을 이용해 환자 몸 전체를 닦아드렸다. 항문 주변을 닦아드릴 때는 수건이 아닌 물티슈를 사용해야 함도 처음 경험했다. 방수 천을 빼고 환자용 패드와 기저귀를 동시에 교체하는 방법도 권선배의 익숙한 손놀림을 함께 도우며 처음 배웠다.

지난번 스스로 움직일 수 없는 환자를 두고 침대보를 교체하는 힘든 과정을 익숙하게 해내는 시범을 나에게 처음 보여주었던 선배들이었다. 오늘 연이은 목욕 돌봄으로 여자 선배 봉사자들은 땀 좀 흘렸겠다.

말기 암 병동 환자의 중요한 돌봄 중 하나는 체위 변경이다. 오랜 시간 누워만 있는 관계로 등은 뜨겁고 욕창 발생 우려가 있기 때문이다. 오늘은 처음으로 혼자서 남자 환자 체위 변경과 마사지를 해드렸다. 유난히 열이 많은 환자라 웃옷이 땀으로 축축해진 환자복도 갈아입혀 드렸다. 지난번 함께했던 박 선배가 부채를 가져와 열을 식혀드렸던 환자였다. 시원해 하는 환자 반응이 반갑다. 반면 내 몸이 뜨거워졌다.

말기 암 환자들은 신체적 고통과 함께 가족관계의 어려움 탓에 더욱 답답해하기도 한다. 장기 입원 중인 남자 환자가 박 선배를 보며 반가움을 표한다. 환자가 숨쉬기가 힘들다는 의사 표시를 하자, 박 선배가 휴게실 이동을 권유한다. 병실 공기가 아무래도 바깥보다는 순환이 잘 안되기에 더 답답할 수 있다. 함께 휴게실로 이동해 바깥도 바라보며 대화도 나누고, 맑은 공기 속에 체위 변경과 마사지를 해드리니 조금은 답답함이 가신다며 환자 표정이 평온해졌다.

이제 3년차에 접어든 호스피스 병동 봉사활동이지만 늘 돌봄의 배움이 새롭다. 좀 더 경험이 쌓이면 신체적 돌봄을 기초로 정신적 돌봄의 배움도 성장할 수 있기를 희망해 본 하루였다.

호스피스 환자 돌봄 철학 '피자론'

6월 초순, 오후 봉사활동에 참여했다. 여자 봉사자들이 여자 환자 목욕을 진행하는 동안 남자 봉사자들은 박 선배의 준비된 제안에 따라 먼저 1인실 여자 환자 병실을 찾았다. 박 선배와는 이미 안면이 있는 듯 마사지를 권유하자 환자가 고개를 끄떡였다.

따뜻한 수건으로 부종이 생긴 발과 다리를 감싸 닦고, 가볍게 마사지를 하며 "머리 둘 데가 없는 것이 아쉽지요."라며 박 선배가 말을 건네자, 환자가 두 손을 모아 박수를 치듯 동의한다. 환자의 시원해 하는 표정과 함께 환자 마음의 장벽이 일순 조금씩 허물어지는 듯 했다.

"잘 생긴 남자 후배 봉사자라 어깨를 마사지 해드린다.", "환자의 얼굴 모습을 보니 젊은 시절 한 미모 했겠다.", "마사지로 다리 부종이 많이 가라앉았다."는 등 박 선배의 말에도 전혀 예상하지 못했던 긍정적인 대답과 표정이 이어졌다.

아침 회의에서 담당 코디 간호사가 마음이 불안해 영적 접근이 어려운 상태로 대화와 지지를 요청했던 환자였다. 어려운 집안의 첫째로 태어나 일찍 부모를 잃고, 맏이로 가족 돌봄을 책임지며 자랐다. 결혼했지만 여러 사유로 이혼했고, 홀로 생계를 책임지며 자식을 키웠다. 살아온 삶이 가혹했는지 뜻밖에도 원치 않은 암이 찾아온 것이다.

마사지로 관계를 트며 "머리 둘 데가 없는 것이 아쉽지요."라며 박 선배가 말을 건넨 것은 환자의 삶을 깊이 생각한 뒤에 나온 말이었다. '마음 둘 데가 없이' 평생을 살아온 환자의 마음을 읽었기에 그런 호의적이고 공감하는 반응이 나왔을 것이다. 환자의 불안하고 맺힌 마음을 여는 열쇠 말이었다.

봉사를 끝낸 후 박 선배가 호스피스 환자를 위한 돌봄의 철학적 관점을 피력했다. 굳이 이름을 붙이자면 '피자론'이다. 환자가 온전한 피자 한 판이라면 가족은 피자 한 조각이다. 환자 중심 돌봄 자세를 새삼 강조하기 위한 비유이다.

죽음을 앞둔 환자를 위한 최고의 돌봄은 편안한 임종을 위한 화해와 용서의 기회와 마음을 이끌어 내는 일이다. 하지만 죽음의 문턱에서 불안과 분노가 짙게 자리하거나 의식이 떨어져 의사소통의 어려움을 겪는 환자들이기에 그 매듭을 풀어가는 일은 쉽지 않다. 우선은 오랜 암과의 싸움 속에서 환자와 간병을 책임지는 가족은 고통과 헌신 속에서 극도로 지쳐있기 마련이다. 물론 환자와 가족들이 지금까지 살아온 파란만장한 삶의 과정에서 쌓여 맺힌 말 못하는 숱한 사연들을 짧은 시간에 이해하기가 쉽지 않음도 돌봄의 장벽이다.

따라서 자칫 환자 돌봄이 주변 시 되고 배우자나 자식 등 간병에 지친 가족 돌봄이 주가 되는 주객전도의 우를 범할 수 있음을 경계하는 의미가 담긴 것이 '피자론'이라 할 수 있다.

환자의 현재 삶을 더욱 빛나게 하기 위해 공감과 사랑으로 살피고, 환자를 위한 최선의 돌봄이 무엇인지를 우선 숙고해야 함을 배운 하루였다.

흡연 욕구를 견디지 못하는 환자 돌봄의 지혜

7월 초순, 오후 회의에서 담당 코디 간호사는 두 분 남자 환자 목욕을 요청했다. 박, 송 봉사자와 함께 목욕 준비를 마치고 환자를 모시러 가니 두 분 다 그 사이 상태가 나빠져 목욕 진행이 어렵단다. 흔히 있는 일이다.

그 중 한 분이 답답함을 덜어 내고자 휴게실로 나와 계셨다. 췌장암 환자로 호흡곤란과 수면장애, 통증과 전신쇠약 상태로 섬망 증상도 있었다. 패드와 환자복을 갈아드려야 하는 상황임에도 전신 목욕이 어렵게 되자 봉사자들은 휴게실 침상 목욕으로 대체했다. 따뜻한 물을 떠와 수건을 적셔 다리와 몸 아래 부위를 여러 차례 닦아드렸다. 패드도 갈고, 새 환자복을 입혀 드렸다.

그런데 이 환자는 뜻밖에도 오랜 습관인 흡연 욕구를 끊지 못해 보호자와 의료진을 어렵게 했다. 침상 목욕 후에도 손을 저으며 아내와 박 선배에게 담배를 달라고 졸랐다. 나로서는 처음 직면한 상황이라 환자를 설득하거나 다른 상황으로 유도해 흡연의 폐해로부터 벗어나도록 도와야 하지 않나 잠시 갈등했다.

그런데 박 선배는 이미 경험이 있는지 "밖으로 나가 담배를 피울 수 있도록 해주겠다."며 안절부절 못하는 환자를 진정시켰다. 아내가 담배 한 가치를 전해주자 그를 꼭 받아들었다. 그리고 우리는 담당 간호사 동의 후 환자를 실외 흡연구역까지 침대로 이동했다.

이미 흡연구역에서 담배를 피우고 있던 사람들에 의해 전해진 연기가 환자와 우리를 덮쳤다. 잠시 후 환자는 담배를 입에 물고 불을 붙여 한 모금 빨아들이는 듯하다 이내 흡연을 멈춘다. 그리고 담배 불을 끄더니 눈을 감았다.

임종을 앞둔 말기 암 환자라도 그 쇠약해진 몸이지만 흡연 욕구를 끊기가 정말 어려운 모양이다. 이런 상황에서 어떻게 하는 것이 환자를 위하는 일인가는 정답이 있을 수 없을 것이다. 실제 담배 한 모금 제대로 빨지 못하고 연기 한 번 흡입한 것에 환자는 심리적 안정을 찾고 조용히 눈을 감았다.

건강한 사람의 시선을 넘어 말기 암 환자의 마음을 헤아려 주는 작은 돌봄이 얼마나 소중한 것인지를 새삼 깨닫게 된 오늘이었다.

호스피스 자원봉사 활동 속에서 선배 봉사자들로부터 가장 많이 추천 받은 책들이 엘리자베스 퀴블러 로스의 저작이다. ‘죽음의 5단계’ 등 죽음과 죽어감에 대한 깊은 이해와 임상 경험 사례 등이 그의 인생철학과 함께 잘 담겨 있어 나로서는 큰 배움의 계기가 되었다.

호스피스 말기 암 환자, 소아암 환자, 에이즈 환자에 이르기까지 의사로서 그들의 치료와 돌봄에 헌신적인 노력으로 평생을 살았던 퀴블러 로스였다.

그런데 그런 그녀이지만 평생 끊지 못한 것이 두 가지가 있었다. 초콜릿과 담배였다. 환자 돌봄에 치열했던 의사요, 영적 스승이었던 그의 삶이 생생하게 담겨 있는 자서전 『생의 수레바퀴』에는 그 점에 대한 퀴블러 로스의 솔직 담백한 이야기가 잘 나와 있다.

“뇌졸중으로 쓰러져 옮겨진 응급실에서 커피와 담배를 요구한 환자는 나뿐이었다. 나는 의사의 권고를 무시하며 ‘이건 내 인생이에요.’라며 고집을 부렸다.”

이 책은 엘리자베스가 말년에 이르러 뇌졸중으로 쓰러져 휠체어와 침대를 오가며 생활하는 악조건 속에서 생을 되돌아보며 심혈을 기울여 쓴 자전적 기록이다.

사랑과 용서를 전하는 스킨십 돌봄 사례

7월 초순, 췌장암 말기로 수면장애와 복부팽만, 호흡곤란과 답답함이 있어 낙담과 우울 증상이 있는 3호실 남자 환자 목욕을 박, 송 봉사자와 함께 도왔다. 비교적 상태가 호전된 듯 스스로 움직여 목욕에 참여하며 연신 고마움을 전한다. 한결 환자와의 관계가 친밀해졌다.

이어 2호실에서 또 다른 췌장암 말기로 전신쇠약과 섬망 증세 등 임종 기에 들어선 환자 체위 변경과 어깨 그리고 등 마사지를 진행했다. 박 선배가 무언가 생각이 난 듯 잠깐 나갔다 오겠다며 나에게 돌봄을 맡겼다. 이내 돌아 온 박 선배가 "목욕 후 밝아진 3호실 환자와의 대화를 위해 정 선배에게 부탁드렸다." 웃으며 말을 전했다.

3호실 목욕 환자는 오랫동안 가족과 떨어져 건설업에 종사하며 주말 부부로 생활했다. 조실부모하고 형수들 손에서 성장한 탓인지 살림과 내조를 도맡으며 고생한 아내에게 늘 미안하면서도 그 마음을 전하는 것이

서툴렀단다.

정 선배는 환자 손을 꼭 잡고 위로와 격려의 말을 전했다. “손을 꼭 잡으니 어떤 마음이냐?”라는 물음에 환자가 “참 따뜻하고 좋다.”고 말했다. 정 선배는 남편에 대한 안타까운 마음으로 간병에 말없이 최선을 다하는 아내를 보며 “남편이 지금처럼 아내 손을 꼭 잡아주곤 하셨느냐?”라고 물었다. 아내는 “그런 적 없다.”며 미소 지었다. 그러자 정 선배는 “스킨십이 얼마나 좋으냐. 이 좋은 것은 자꾸 해봐야 는다. 지금 두 분이 한번 손을 꼭 잡아 보면 좋겠다.” 말하며 두 사람 손을 꼭 잡게 해드렸다.

옆 침상에서 다른 환자를 돌보고 있던 송 봉사자가 그 광경을 처음부터 끝까지 지켜봤다며 한 마디 전한다.

“정 선배님이 자연스런 스킨십과 대화로 환자와 부인의 가장 중요한 숙제를 자연스럽게 해결하는 모습을 보며 정말 감탄했다.”, “돌봄을 위한 좋은 배움의 기회가 되었다.”

전체적인 환자 상황을 살피며 어떤 돌봄이 필요하고 그 역할을 누가 잘 할 것인지를 박 선배는 생각하고 있었던 것이다. 그 미소가 빛을 발했다는 것을 나중에 알 수 있었다. 나 역시 좋은 배움의 계기가 되었다.

무엇보다 임종을 앞둔 환자와 그 가족의 화해와 용서, 사랑과 감사의 계기를 마련하는 돌봄이야말로 그들을 돕는 봉사자와 의료진의 가장 중요한 부분임을 새삼 깨닫게 해 준 사례였다.

나는 우리의 모든 체험, 사건과 상황 속에는 나름대로의 깊은 의미가 담겨있다고 믿는다. 우리는 지금 여기 이 순간 속에 담겨져 있는 그 깊은 뜻을 찾을 수 있어야 한다. 그 과제를 해결하는 것이 우리 삶의 목표라 할 수 있다. 죽음의 길목에서 비로소 보이는 삶의 의미가 소중한 이유이다.

“병은 훈장이다.”

7월 중순, 오후 회의는 어느 때보다 열띤 토론으로 환자 돌봄을 위한 귀한 배움의 자리가 되었다.

“췌장암 말기 환자가 임종실인 사랑채로 옮겨진지 5일째인데 예상을 깨고 환자가 소천하지 못하고 있다.”며 코디 간호사가 걱정스럽게 말을 꺼냈다. 아내와 가족의 충분한 사랑을 받으며 화해와 용서의 기회도 충분히 가졌단다. “형제간 풀지 못한 숙제가 남아있는 듯한 데 방법이 없다.”며 아쉬움을 전하기도 했다.

박 선배는 “단단한 몸으로 건장한 체격을 지녔던 환자라 좀 더 시간이 필요한 것일 뿐인 것 같다.”는 의견을 전한다. 그동안 누구보다도 환자와 환자 가족과의 모범적인 병동 생활을 지켜본 사람으로 충분히 화해와 용서의 시간을 가졌으리라 본 것이다.

최 선배는 “형제간 풀지 못한 숙제가 있다면 화해의 자리를 마련하는 것이 바람직하겠지만 그것이 어렵다면 환자 본인이 스스로 용서하며 떠날 수 있도록 권면해드리는 것이 좋겠다.”는 의견을 덧붙인다. 가족들의 몫이지만 봉사자와 의료진의 과제이기도 하다.

암 환자와 그 가족들은 큰 고통과 어려움 속에서도 그동안의 삶을 잘 마무리 할 수 있는 시간적 여유를 가질 수 있음을 때론 감사하게 생각할 필요가 있다. 고통이 주는 삶의 의미를 잘 성찰하고 실천할 수 있다면 말이다.

"감사합니다. 미안합니다. 행복했습니다. 안녕히 가세요."라고 전할 수 있고, '이제 편안히 떠나셔도 된다는 허락의 언질과 남은 이들을 걱정할 필요 없다는 안도의 언질'을 줄 수 있기 때문이다.

박 선배가 의미 있는 한 마디를 전한다.

"병은 훈장이다."

질병의 고통 속에 담긴 삶의 의미를 깨달을 수 있다면 절망은 희망으로 바뀔 수 있다고 오스트리아 정신과 의사 빅터 프랭클은 주장했다.

50대 초반 여자 환자들이 주는 배움

둘째 손주를 낳은 딸의 육아 돌봄으로 2주 간 호스피스 병동 봉사활동을 쉬었다. 8월 초순, 3주 만에 다시 찾은 병동은 모두 새 환자들로 바뀌어 있었다. 전에 돌봄을 드렸던 환우들 모두 평안한 임종을 맞으셨다는 전언으로 아쉬움을 달랠 수밖에 없었다.

새로 만난 환자들 중에 유독 50을 갓 넘긴 젊은 여자 분들이 눈에 띄였다. 오랜 투병으로 지칠 대로 지친 상태이지만 의외로 죽음을 앞둔 환자들의 공통된 모습은 대단히 수용적이다. 신체적 고통을 인내하려 하거나 죽음에 대한 두려움에도 불구하고 자신의 상황을 받아들이려 노력하는 모습이다.

오히려 남편들이 오랜 투병생활을 함께했으면서도 현재의 상황을 받아들이지 못하고 눈물을 쏟아낸다. 당사자만큼은 아니겠지만 그 마음을 어찌 모르겠는가. 사랑하는 이를 뜻하지 않게 이른 시기에 고통과 함께 보내야 하는 가족의 마음은 더 아프지 않겠는가.

오전에는 그 세 여자 환자 중 두 환자에게 집중 돌

봄을 드렸다. 움직이지 못하는 몸이기에 수시로 체위 변경과 마사지가 필요하다. 다행히 마사지를 요청해 남자 봉사자 세 명이 함께 땀을 흘리며 돌봄을 해드리고 대화를 나눴다. "시원하다.", "좋아요."라며 간간히 작은 목소리로 고마움을 전한다.

안정된 가정생활, 독실한 신앙생활과 함께 "살아보니 인격과 겸허한 마음이야말로 무엇보다 소중하다는 것을 깨닫게 되었다."는 말을 전한다. "딸의 아픔을 내가 다 갖고 가고 싶다."는 말도 했단다. 엄마들이기에 이 어려운 상황을 지혜롭게 헤쳐 나가며 마지막까지 가족들에게 힘을 주고 싶은 것은 아닐까.

종일 봉사일이기에 오후에는 남녀 환자 각 두 분씩 4분 목욕까지 해드린 날이었다.

호스피스 병동의 환자들은 영적 관점에서 자신의 영혼이 선택한 삶의 무대, 그 주연으로서의 역할을 이제 최선을 다해 성공적으로 마치고 다시 본향으로 떠나려는 순간에 있다. 우리 모두는 그 고통이라는 도전과제가 주는 삶의 의미를 잘 성찰하고, 자신의 영적 성장의 계기로 삼는 지혜를 가꿀 순간이기도 하다.

팀원 소진관리 프로그램, 아로마 향기요법

9월 초순, 자문형호스피스팀원 소진관리 프로그램으로 아로마 향기요법과 함께 하는 나를 위한 힐링 시간에 참여했다. 호스피스 완화의료 지원 방식은 호스피스 병동 입원형, 일반병동 입원형인 자문형, 가정형 세 형태로 진행된다. 의사, 간호사, 전문치료사, 성직자, 자원봉사자 등으로 구성되는 팀원들의 협력으로 말기 암 환자의 돌봄을 지원한다.

팀원의 돌봄 활동에 따른 신체적, 정신적 소진을 관리하고 기운을 충전하고자 마련된 프로그램으로 아로마테라피가 진행되었다. 처음으로 다양한 천연향 재료들을 활용해 자기에게 맞는 유일한 화장품을 만들며 치유의 시간을 가질 수 있었다.

강사의 친절한 설명과 시범을 통해 나만의 천연 립밤과 핸드크림, 그리고 아로마 향수를 만들며 즐거운 시간을 가졌다. 물론 쉽지 않은 돌봄 과정에서 힘든 점도 있었겠지만 그 과정에서 얻는 보람과 성찰, 배움이 더 크기에 소진관리는 과분한 표현이다.

지금 이 순간을 위한 한가위 축하 행사

9월 초순, 오늘은 호스피스 병동에서 한가위 명절을 앞두고 환우 가족을 위한 조촐하지만 뜻깊은 행사를 마련했다. 봉사자들도 오랜 투병생활로 지칠 대로 지친 환자와 가족들을 위해 다과와 현수막 등 식장 분위기를 살리기 위한 준비 과정을 도왔다.

병동에서 마련한 다과와 수면 양말을 명절 선물로 준비한 정성이 환자들에게 작은 위안이 될 것이다. 더 뜻깊은 순서는 준비한 카드에 환자와 가족이 서로의 마음을 담아 적어 전하는 행사였다. 지금 이 순간 다시 오지 않을 우리의 가장 소중한 시간에 어떤 마음을 담아 전했을까.

20여 년 전 함께 근무했던 선배교사 부부가 전하는 "있는 그대로 당신이 소중합니다.", "우리의 만남은 운명이었소. 고마워요!"라는 글을 낭독하는 순간, 가슴 뭉클한 마음에 눈시울이 젖는다. 더 이상 어떤 말이 필요할까?

환자와 가족의 사연이 이어졌다.

"당신을 만나 행복했습니다. 사랑합니다.", "언제나 행복했습니다. 언제나 즐거웠습니다. 당신은 예쁜 하늘나라에서 만나요."
"내 숨 거둘 때까지 행복(을 안고) 떠나고 싶다.", "아프지 않고 행복하게 살고 싶다."

고통 속에 담긴 삶의 의미를 깨달을 수 있다면 우리는 이번 생의 목적을 다 이룬 것이 아닐까? 분명 그리 될 것이라 믿고 기원 드린다.
호스피스 병동 수간호사와 간호사, 복지사 등 관계자들의 작은 정성이 환자와 가족들에게는 영원히 잊지 못할 감동의 순간을 선물했다.

이후 환자 목욕과 족욕, 체위변경과 마사지, 머리와 발 씻어드리기, 대화 등을 함께하며 나도 지금 이 순간 다시 오지 않을 우리의 가장 소중한 배움의 시간을 보냈다.

임종을 앞둔 환자의 고통을 함께했던 선배

9월 하순, 오전 회의를 마친 박 선배가 여자 봉사자들이 여자 환자 목욕을 진행하는 동안 남자 병실로 먼저 가보자 제안한다. 아마도 마음에 둔 환자가 있었을 것이다.

아니나 다를까 그 환자는 임종 기에 접어들어 바로 1인실로 이동했다. 인사 후 돌봄 동의를 받고, 박 선배는 환자의 손과 어깨를 쓰다듬으며 혼자말로 대화를 이어갔다. 나는 발을 가볍게 마사지하면서 그 말을 경청하며 환자의 표정을 주시했다.

"지난 한 주는 환우 분 때문에 너무 힘든 시간을 보냈다."며 말을 꺼낸다. 내가 "무엇 때문에 그리 힘들었느냐?"고 묻자, 박 선배는 "환자가 신체적 고통도 심했지만 마음속에 해결해야 할 숙제가 있는데, 그를 해결할 방법이 없어 힘들었지요."라며 말을 이었다.

나는 다시 "마음속에 해결해야 할 숙제가 무엇이었을

까요?"라며 환자를 보며 조심스럽게 되물었다. 박 선배는 "사랑했던 이들과 함께하고 그동안 풀지 못했던 원망과 아픔을 내려놓고 손잡는 일이지요.", "이제는 다 용서해야지요. 미안한 마음도 있었을 터이니 용서를 구해야지요."라며 환자를 보며 말을 전한다. 환자가 조그마한 소리로 입을 열어 "예."라고 답하며 가볍게 미소를 짓는다.

어떤 이유에서인지는 잘 모르겠지만 오래전에 아내와 이혼을 했고, 두 자녀와도 헤어져 살아왔던 환자였다. 아마도 그 사랑했던 가족들을 만나 한없는 미안함과 용서를 구하는 일 뿐만 아니라 "당신은 최선을 다했습니다. 당신을 만날 수 있음에 행복했고, 그를 감사드립니다. 그리고 남은 이들을 걱정하지 말고 편안히 가세요."라는 말도 듣고 싶지 않았을까.

환자의 고통을 함께하려는 박 선배의 돌봄 자세에 오늘도 마음 깊이 소중한 배움으로 간직할 수 있었다.

호스피스 환자들의 끝없는 심리적 갈등

죽음으로부터 자유로울 수 있는 사람이 있을까?

오랜 암 투병 끝에 마침내 의사로부터 더 이상의 치료행위가 의미 없음을 통보받게 될 때 환자는 큰 충격을 받게 된다. 나아질 수 있으리라는 일말의 희망이 꺾이는 순간이기 때문이다. 생명연장에 대한 인간의 기본적 욕망을 내려놓는다는 것이 얼마나 어려운 일일 것인가는 누구나 동의하지 않을까.

이제 환자는 의사로부터 남은 수명이 얼마 남지 않았으니 좀 더 고통 없는 평안한 임종의 돌봄을 제공받을 수 있는 완화의료 병동 전원을 권유받았을 것이다. 숱한 고민과 갈등 속에서 호스피스 병동에 들어온 환자이지만 죽음의 과정을 수용하고 그에 직면에 삶을 마무리해 나가는 일은 여전히 힘든 일이다.

우리에게 잘 알려진 퀴블러 로스의 대표작 『죽음과 죽어감』에 소개된 죽음의 5단계는 부정, 분노, 타협, 절망, 수용의 과정이다. 불치병인 암 선고가 주는 상실의 고통을 당사자가 아니면 어찌 짐작이나 할까? 암이 아닐 것이라며 '부정'하다, 거듭된 진단으로 암이 확정적일 때 당사자는 왜 나에게 이런 불행이 주어졌냐며 '분노'한다. 차츰 신과 의사와 현실적 '타협'을 통해 암과 사투를 벌인다. 한 때 호전된 병세에 기뻐하다가 어느 날 전이된 암이 재발한다. 다시 힘을 내 암과의 전쟁을 치루지만 더 이상 치료가 어렵다는 의사의 진단에 '절망'한다. 마침내 신의 뜻에 모든 것을 맡기겠다고, 긴 싸움과 기대를 다 내려놓고 '수용'한다. 이제 죽음의 길목에서 비로소 삶의 또 다른 소중한 의미들이 새롭게 보이기 시작한다.

온 몸으로 전이된 악성 종양의 부작용으로 인한 극심한 고통과 불편한 일상에 놓이게 되면 더 이상 삶에 대한 미련이 남아 있기 어렵다. 하지만 진통제 처방 등 통증 관리와 지친 심신의 돌봄으로 어느 정도 기력이 회복되면 환자와 가족의 마음이 달라진다. 좋아질 수 있고, 좀 더 살아 있고 싶은 욕망이 샘솟을 것이기 때문이다. 오랜 경험이 있는 간호사와 선배 봉사자들로서는 이는 일시적 호전 현상이고, 어느 순간 환자의 기력이 급속하게 떨어짐을 수없이 봐왔음을 감지한다.

10월 초순, 오전 회의 후 나는 정, 박 선배와 함께 두 분 목욕을 해드렸다. 아픈 환자에게는 목욕도 큰일이다. 두 분 다 오랜만의 따뜻한 목욕으로 신진대사가 원활해진 탓인지 배변 욕구를 호소한다. 이때는 걱정과 불안함을 덜고, 편안하게 몸의 작용에 따르도록 격려하며 조용히 처리해 드리는 일이 중요하다.

60대 후반 한 환자는 병동에 들어왔음에도 아직 이 상황을 수용하지 못하는 환자였다. 오랜 세월 함께했고, 현재 헌신적으로 간호하고 있는 아내에게 따뜻한 말 한마디 전하지 못하고 투정부리는 장면이 수시로 목격되어 주위를 안타깝게 하고 있었다. 그런 그 환자가 목욕을 통해 정성스런 손길을 받으며 만족했는지 고맙고 행복했다는 말을 연신 전하며 남을 배려하는 달라진 모습을 보였다.

환자와의 관계를 트는 데 목욕이 좋은 돌봄 효과를 낼 수 있음을 다시 한 번 실감한 사례였다. 오늘 목욕 전 병상 대화에서 아내의 장점을 묻는 질문에 "없다." 고 말해 아내를 실망시킨 이 환자가 앞으로 어떤 변화된 모습을 보일지가 궁금해지는 하루였다.

사랑채와 뜨개질, 독립형 호스피스에 대한 꿈

10월 초, 오후에는 다른 돌봄과 함께 임종을 앞둔 한 환자가 사랑채로 불리는 임종실에 계신데 면도를 요청했다고 코디 간호사가 전했다.

사랑채는 이제 삶의 마지막 길을 떠나려는 환자와 그 가족들을 위한 독립된 공간이다. 병원에서 파란만장했던 환자의 삶을 마무리하고 가족들과 마지막 인사를 나눌 수 있도록 배려한 곳이다.

박 선배와 함께 면도 준비물을 들고 사랑채에 들어서니 아내와 네 딸, 아들 하나를 둔 노 환자와 가족들 모습이 너무도 평온하다. 면도를 진행하며 가족들과 나누는 대화도 일상 모습 그대로이다.

두 딸은 뜨개질을 하고 있었다.

임종실에서 뜨개질을 하며 환자와 가족들이 따뜻함이 넘치는 대화를 나누고 있는 현실이 순간 어색할 수도 있는 상황이었다. 하지만 호스피스 병동 말기 암 환자와 그 가족들이 죽음 앞에 충분히 서로를 격려하고 위로할 수 있었다면 얻을 수 있는 축복의 순간임을 직감할 수도 있었다.

아마도 그간 허락과 안도의 언질을 수없이 전하고, 화해와 용서를 나누고, 사랑과 감사를 전했을 것이다. 곧 지상의 과업을 마치고 영혼의 동반자로서 다시 만날 것을 약속했을지도 모른다.

고통 속에 담긴 의미를 발견하고 그 의미를 통해 삶을 성찰하는 계기로 삼을 수 있다면 절망도 희망이 될 수 있음을 눈앞에서 바라보며 가슴이 뜨거워짐을 느낄 수 있었다.

일본의 저널리스트인 이시이 고타의 책 『어린이 호스피스의 기적』은 저자가 2016년 일본 최초 어린이를 위한 독립형 호스피스인 '쓰루미 어린이 호스피스'를 짓기까지 분투한 사람들을 만나온 기록이다.

이 책에는 1982년 세계 최초로 개설된 어린이 호스피스인 '헬렌 하우스'가 소개되고 있다. 간호사, 보육교사, 놀이방 직원 등 다양한 직종의 전문가가 상주하면서 아이들 컨디션을 살피고, 하고 싶은 것은 무엇이든지 할 수 있게 게임방, 놀이방 등을 갖춘 곳이다.

상주 의사가 없다. 병원처럼 의료장비나 약을 많이 갖춘 것도 아니다. 응급 시 병원에 요청할 수 있는 설비는 갖추고 있지만 보통 2, 3일에 한 번씩 의사가 왕진을 올 뿐이다. 큰 저택 같은 헬렌 하우스의 의도는 아이들이 아이답게 놀 수 있는 공간으로 만들기 위해 의도적으로 의료와 분리한 것이다.

일본에서는 난치병 어린이는 밖으로 나가는 것을 주저한다. 감염증 예방을 위해서다. 식사도 익히지 않은 것은 먹지 않는다. 당연히 외출도 어려워한다.

하지만 헬렌 하우스 같은 곳이 있다면 이러한 고민에서 해방될 수 있다. 전문가가 지켜보는 가운데 아이는 아무 걱정 없이 마음껏 놀 수 있다. 부모도 아이를 맡길 수 있고, 난치병의 굴레에서 벗어날 수 있다.

가장 놀라운 점은 연간 150만 파운드(당시 환율로 3억 엔)의 운영비를 사회로부터 지원받는다는 점이다.

한국사회는 더 절실하다. 어린이뿐 만아니라 모든 국민이 죽음의 길목에서 자신의 인간다운 삶을 마음껏 누릴 수 있도록 독립형 호스피스에 대한 의식과 사회제도 개선, 예산지원 확대 등 일대 전환이 필요함을 일깨운 오늘이다.

미혼의 50대 환자가 지난 삶에서 가장 하고팠던 일

10월 중순, 지난주 한글날 연휴로 2주 만에 병동을 찾았다. 그 사이 몇 분 환자가 임종과 퇴원을 해 병상 주인이 많이 바뀌어 있었다. 언제나 그렇듯 담당 코디 간호사와 봉사자들이 갖는 아침 회의에서 환자 상태와 필요한 돌봄에 대해 정보를 교환하고 협의한 후 병실을 찾았다.

오후에는 새로 입원한 미혼의 50대 말기 간암 환자를 정, 박 선배와 함께 찾았다. 오랜 투병으로 드러난 상흔으로 지친 모습이 역력하다. 그래도 손을 쓰다듬고 위로하며 다가가는 정 선배의 마음이 전해졌는지 일어나 앉으며 돌봄에 응하려 애쓴다. 목과 등을 마사지하자 시원해하는 표정이 드러난다.

옆에 있던 박 선배가 조심스레 말을 걸어가자, 낮지만 비교적 또렷한 목소리로 답하려 애쓴다. "지난 삶에서 가장 잘 했다고 생각하는 것 세 가지만 이야기해 달라."는 질문은 박 선배가 잘 건네는 질문이다. 상황에 따라서는 "지난 삶에서 가장 잘 못했다고 생각하는 것 세 가지만 이야기해 달라."는 질문도 할 때가 있다.

그런데 오늘은 "지난 삶에서 가장 하고팠던 일은 무엇인가?"라는 질문을 던진 것이다.

환자의 입에서 뜻밖의 말이 나왔다.

"잠을 실컷 자보고 싶었다."

"일용직 노동자로서 고단한 삶을 살아갈 수밖에 없었기에 잠 한 번 제대로 잘 수 없었던 것이냐?"라는 물음에 "예."하고 고개를 끄덕인다. "그럼 낚시를 가장 좋아했던 이유도 그 때나마 호수를 바라보며 휴식과 평안을 기대하고자 했던 것이냐?"라는 이어지는 물음에도 "예."하고 고개를 끄덕인다.

옆에 있던 나이든 간병인은 환자를 지극 정성으로 돌보는 형수에 대한 칭찬의 말을 전한다. 환자는 "제가 형수에게 지은 죄가 많아서 그렇다."고 답한다. 그러자 간병인이 "아니다. 환자가 아마도 전생에 형수에게 덕을 많이 쌓아서 그럴 것이다."며 격려한다.

나는 마음속으로 동의했다. 고단한 삶과 투병의 고통을 겪었지만 스스로 선택한 삶이 아닐까? 남은 시간 그 고단했던 삶과 고통 속에 담긴 의미를 잘 성찰하고, 영적 성장의 계기로 삼을 수 있다면 절망은 희망으로 바뀌리라 믿는다.

나는 신을 믿는다. 신은 우리 모두에게 천사들만 보내주셨다고 믿는다. 영적 진화의 과정에서 이번 생에 요청되고 선택된 과제를 해결하기 위해 가장 완벽한 무대를 만들어가고 있다고 믿는다. 어떤 사건, 어떤 상황이든 우리 모두는 자신이 맡은 역할을 최선을 다해 연기한다고 믿는다. 착한 역할만 주어진다면, 악한 역할이 없다면 그 연극이 무슨 재미가 있으며, 무슨 교훈과 깨달음을 얻을 수 있겠는가.

그 연극을 끝내고 나면 우리 모두는 무대 뒤편에서 서로의 멋진 연기를 격려하고 축복하며 즐거운 잔치를 벌일 것이라 나는 믿는다.

50대 엄마 임종을 지키는 두 남매 이별 서약

10월 중순, 아침 회의를 마치고 여자 봉사자들이 두 환자 목욕 돌봄을 진행하는 동안 박 선배와 함께 임종실인 사랑채를 찾았다.

사랑채에는 임종을 앞둔 50대 엄마와 미혼인 아들이 그 곁을 홀로 지키고 있어 엄숙함과 고요함이 흘렀다. 환자는 가는 호흡을 이어가며 아들 쪽 옆으로 누워있었다. 환자를 가만히 응시하고 있던 박 선배가 무언가 불편한 점을 찾은 모양이다. 수건 한 장을 접어 베개로 받쳐드린 것이 불안했던지 수건 두 장으로 길게 펴서 아들과 함께 환자 머리 밑에 넣어드렸다.

다시 한 참을 지켜보던 박 선배가 밖으로 나가더니 김 수간호사와 함께 들어왔다. 수간호사가 환자 맥을 짚고 숨 쉬는 모습을 살펴보더니 "호흡이 많이 느려졌지만 아직 좀 더 기다려봐야겠다." 말한다. 그리고 아들의 어깨를 두드리며 격려하고 나갔다.

박 선배가 "어머님이 제일 좋아하는 아들과 함께 있어 참 편안하신 모양이다." 말하며 "아드님은 어머님 손을 잡고 계시면 더 좋아하실 것 같다." 권했다. 아들이 엄마의 손을 잡으며 "이제 제 걱정하지 마시고 편히 가셔도 좋다고 여러 차례 말씀드렸다." 전했다.

잠시 후 숨 가쁘게 들어온 맏딸이 "어린 아이 때문에 집에 다녀오는 길인데, 엄마가 걱정이 돼 집에 20분도 못 있다 부랴부랴 병동에 왔다."며 동생이 잡고 있던 엄마 손을 전해 받는다. "그 사이에 엄마가 떠나시는 것은 아닌지, 힘들게 사신 엄마의 마지막 가시는 순간을 함께하지 못하는 것은 아닌지 너무 불안했다."며 이내 눈물이 글썽인다. 그를 느끼셨는지 환자의 눈과 입이 조금 열렸다.

미혼인 아들 걱정에 늘 노심초사 하면서도 걱정되는 일은 꼭 맏딸에게 의지했던 엄마란다. 아들에게 싫은 소리 한 마디 전하기 힘들어 했던 엄마 마음을 알기에 누나로서 동생을 야단치며 사랑을 대신 전했던 누나의 깊은 마음이 전해진다.

나도 “20년 전, 국외연수로 독일에 있던 중 어머님 별세 소식을 전해 들었다. 임종을 곁에서 지켜드리지 못한 죄스러움이 있다.”며 맏딸의 엄마를 생각하는 깊은 마음에 격려를 보냈다.

긴 투병과 호스피스 병동 생활 속에서 환자와 두 자녀는 아름다운 이별을 위한 충분한 시간을 가졌을 것이다. 한없는 아쉬움과 안타까움 속에서도 엄마는 이제 떠나셔도 된다는 허락의 언질과 남은 이들을 걱정하지 않아도 된다는 안도의 언질을 두 자녀는 수없이 전했을 것이다. 오늘 사랑채에 잠시 머무르며 이 두 가지 언질을 엄마에 대한 이별 서약으로 가슴 뭉클하게 보여 주고 있는 두 자녀 모습에서 소중한 배움을 얻는다.

앞서 소개한 정현채 교수의 책에는 소걀 린포체가 그의 책 『티베트의 지혜』에서 평화로운 죽음을 위한 두 가지 언질을 다음과 같이 전하고 있음을 소개했다.

“하나는 죽어도 된다는 허락의 언질이고, 다른 하나는 그가 죽은 후 남아 있는 사람들이 잘 지낼 수 있으며 아무것도 걱정할 필요가 없다는 안도의 언질이다.”

가족 간 갈등, "무엇이 환자를 위하는 일인가."

10월 하순, 주1회 종일 봉사로 진행되는 수요일 아침 회의를 마치고, 여자 봉사자들이 여자 환자 두 분 목욕 돌봄을 지원하는 동안 박, 송 봉사자와 함께 남자 병실을 찾았다.

먼저 회의에서 돌봄 요청된 70대 중반 신장암 환자와 반갑게 인사를 건네며 발 마사지를 진행했다. 심한 혈변으로 말기 암 환자의 이상 증상과 관련해 검사와 치료 지속 문제를 두고 가족 간 갈등이 일고 있는 환자였다.

방수포를 깔고 더운물을 떠와 수건을 적셔 짜 환자 다리를 감싸드린 후 마사지해드렸다. 의식저하로 섬망 증세가 있는 환자가 "시원하다."며 긍정적인 반응을 보이자 옆에서 간병하던 아내 표정이 밝아졌다. 수포마사지를 세 번 해드린 후 로션을 발라 좀 더 부드럽게 마사지를 이어가며 대화를 나눴다.

아내 분은 "남편은 화가로 자신의 예술적 재능을 인정받았고, 나이 들어 시골로 낙향해 10년 가까이 농사

일에 전념하며, 자유롭게 원 없이 한평생을 사신 분이다.", "자식농사도 잘 지셨다.", "친구들과 잘 어울리고 술 담배도 즐겼다.", "암 치료를 위해 서울과 지방의 대형병원에서 많은 노력을 했는데, 안타깝게도 의사가 더 이상 치료가 어렵다며 호스피스 병동 입원을 권유해 들어오게 되었다." 등 많은 사연을 쏟아냈다.

그러자 대화 중 의식저하로 맥락 없는 말을 간간히 내놓던 환자 입에서 명료한 말이 전해졌다.

"다 아내 덕분이지요."

남편의 이 짧은 말에 아내가 흡족한 반응을 보였지만 환자의 이어지는 말은 다시 무슨 의미가 담긴 말인지 알아내기가 어려워졌다. 다소 아쉬운 아내 표정이 엿보였다.

이 때 순회 진료를 위해 찾아온 담당의사가 환자 상태를 살핀 후 아내와 지난밤에 있었던 심한 혈변 증상에 대한 대화를 나눴다. 아들과 큰딸의 검사와 치료 요구에 아내가 환자 상태를 염려해 의사의 해답을 구하고 싶었던 것 같다.

의사는 "약물 치료로 어느 정도 가라앉은 증세는 언

제 다시 심해져 생명을 위태롭게 할지 모르는 상태에서 쇠약해진 환자에게 큰 부담을 주게 되는 검사가 필요하겠는가?" 우려의 말을 전하며, "가족들이 원한다면 검사를 진행해 드리겠다.", "상의해 알려 달라." 자문했다.

환자는 담당의사로부터 더 이상 치료가 의미 없다는 최종 판단을 듣고, 마지막 임종 시까지 편안한 돌봄을 지원받는 것이 좋겠다는 권유로 호스피스 병동에 입원했다. 병동에 입원하면서도 관계자로부터 충분한 안내를 거듭 받았을 것이다.

그래도 환자 가족들은 끝까지 고민하고 갈등한다. 무엇이 환자를 위하는 일인가.

내가 저 환자의 위치에 있다면 사전에 나는 가족들에게 무엇을 다짐해 놓아야 할까. 미리 '사전의료의향서와 유언장을 작성하며, 죽음을 마무리하기 위한 중요한 사안들에 대한 내 생각을 정리해 놓아야겠다.'는 마음이 불현 듯 솟아오른 오늘이었다.

한 환자가 엿보인 내면 갈등, "다 헛된 일이다."

10월 하순, 오후 돌봄 활동을 위해 박, 송 선배와 함께 1인실 여자 환자를 찾았다.

호스피스 병동에 입원한지 오래된 70대 초반 담낭암 환자인데 늘 친근한 인사로 봉사자를 맞이해 주었던 분이다. 이제는 지친 표정에 반응이 더디다. 환자 동의를 얻어 체위 변경과 가벼운 마사지를 해드리자 눈을 감은 채 편안해 하신다.

옆에서 환자를 돕던 간병인을 잠시 쉬시라 권하며 마사지와 함께 대화를 이어갔다. 환자를 잘 아는 박, 송 봉사자가 "환자분이 참 훌륭한 삶을 사셨다."라고 격려의 말을 건네자, 환자와 돌봄 관계가 적었던 나는 "우리 어머님은 어떤 훌륭한 삶을 사셨느냐?"라는 물음을 던졌다.

말없으신 환자를 대신해 두 봉사자는 "젊은 시절 교통사고 후유증으로 휠체어 생활을 할 수밖에 없었던 남편을 돌보며 홀로 세 자녀를 키우셨다.", "집안 살림을 책임지며 헌신적으로 또 악착같은 마음으로 거친 삶을 이겨내셨다."고 전하며 환자를 격려했다.

이 때 말없이 듣고 있던 환자가 나직한 목소리로 뜻밖의 말 한 마디를 내놓았다.

"다 헛된 일이다."

"무슨 뜻으로 한 말이시냐?" 다소 긴장한 우리가 다시 묻자 간간히 속내를 이어 내놓았다.

"그 때는 그렇게 살 수밖에 없었다.", "살기 위해 어떻게 할 도리가 없었다.", "후회스럽다."

홀로 헤쳐 나갈 수밖에 없는 막다른 삶의 길목에서 정신없이 생계를 책임지고, 남편과 자식을 돌보며 살아온 지난날이었을 것이다. 자신을 돌볼 여유가 없었을 것이다. 이제 좀 쉬며 나를 찾고 싶을 시간에 뜻하지 않은 병마와 씨름했고, 죽음을 앞두고 있으니 마음이 착잡하고 후회스럽기까지 할 것이다.

그래도 "자식들이 어머님의 훌륭한 삶을 기려 감사패

를 만들어 침대 맡에 놓아드리니 좋지요.", "손주들이 찾아올 때면 참 기쁘시지요."라며 격려하는 우리에게 "그렇다." 답한다. "어머님이 이 세상을 떠나면 몸이 불편해 자주 찾지 못하는 남편을 누가 돌봐 주려나 걱정되시죠."라는 물음에도 "그렇다."라고 답한다.

힘든 투병과정을 겪는 말기 암 환자들의 일반적인 심리적 갈등일 것이다. 하지만 어쩌면 그 갈등은 호스피스 병동 생활에서 얻게 되는 축복일 수도 있다. 의료진뿐만 아니라 자원봉사자들이나 성직자들의 영적 돌봄 속에서 자신의 삶을 돌아보고 성찰하며 죽음이 주는 삶의 소중한 의미를 깨닫게 되기 때문이다.

박 선배가 "남은 시간 환자와 남편 간 화해와 용서를 위한 계기를 만들어야 하는 일이 가장 중요한 돌봄 과제가 될 것 같다."며 고민을 전한다. 우리는 깊이 공감했다.

의식 없는 환자를 대하는 돌봄 태도

10월 말, 오전 회의에서 환자 상태를 점검하며 지원할 돌봄 내용을 협의했다. 회의 중 주 3-4회 병동 봉사를 하고 있는 박 선배가 한 환자의 돌봄 중에 있었던 일화를 소개했다.

그 환자는 70대 중반 폐암 환자로 일주일 새 건강이 급속히 나빠져 의식이 많이 저하된 상태였다. 1인실로 옮겨진 환자를 찾아 마사지와 대화로 돌봄을 지원하는 박 선배에게 친숙해 진 간병인이 무심코 질문을 던졌다.

"환자분 남은 수명이 얼마나 될까요?"

박 선배는 정색을 하며 조용하면서도 단호하게 답했다.

"환자분이 아무리 의식이 없다 하더라도 마지막까지 귀는 열려있습니다. 지금 이 순간 환자분은 자신의 삶을 마무리하는 가장 중요한 시간을 보내고 계실 것입니다. 가족 분들에게도 환자와 함께 존경과 감사, 화해와 용서, 안도의 언질을 나누는 마지막 시간입니다. 우리 모두는 최선을 다하는 환자를 끝까지 격려해야지요. 환자 옆에서 그런 질문은 예의에 어긋납니다."

박 선배의 간병인에 대한 애정 어린 충고에 옆에 있던 딸이 감사함을 전했단다.

나도 공감했다.

의사와 간호사 등은 말기 암 환자에 대한 적절한 의료적 처치로 최선을 다한다. 환자 돌봄을 지원하는 모든 관계자들도 같은 마음일 것이다. 환자에게 죽음을 말하지 않는다. 지금 여기 이 순간에 담긴 삶의 소중한 의미를 찾고 가꿀 수 있도록 다함께 진심을 다할 것이다.

만약 환자가 죽음에 대해 이야기 나누고 싶어 한다면, 환자가 지금 어떤 생각을 하고 있는지, 어떤 궁금증을 갖고 있는지 질문을 던지고, 환자의 말을 경청할 것이다. 환자가 죽음에 대해 알고 싶어 하는 것이 있다면, 나는 선각자들의 지혜를 전하며 격려할 것이다.

마지막 순간에 비로소 깨닫는 화해와 용서

10월 말, 오후에는 의식이 저하된 또 다른 1인실 70대 초반 여자 담낭암 환자를 찾아 체위 변경과 가벼운 마사지를 해드렸다. 간호하고 있는 며느리와 환자를 위해 이런 저런 대화를 나누며 돌봄을 지원했다.

아침 팀 회의에서 박 선배는 위 환자 남편에 대한 또 다른 일화도 소개했다.

"소위 나쁜 남자 스타일의 까칠한 남편을 만나 환자분이 헌신적으로 내조하며 자식들을 키우며 사셨다. 그러나 남편은 이제 암으로 투병하다 여기까지 이른 아내 처지를 마음 아파하면서도 내심 아내 돌봄으로부터 소외된 자신의 처지를 더 서운해 했다.

딸이 나서 엄마의 남은 시간이 얼마 남지 않았다며 엄마 곁에 누구보다 아빠가 함께해야 한다고 간곡히 전했다. 그 간절함이 통했는지 아빠 모습이 달라졌다. 아내 곁에 머무는 시간이 길어지고, 아빠 눈가에 눈물이 고였다."

지난번 젊은 나이에 남편의 교통사고로 평생 남편과 자식 돌봄에 헌신했던 70대 초반 여자 환자의 내면 갈등에 대한 글을 소개했었다.

"다 헛된 일이다."라며 애증의 곡선을 보였던 환자가 휠체어를 타고 병실을 찾은 남편에게 손을 들어 환영하고 남편 손을 잡아주는 모습을 보였다.

그 전에 환자와 대화하며 '뻔뻔한 자존심'을 불러 넣어드렸다는 박 선배 이야기에 우리는 '당당한 자존심'이라며 맞장구 쳤다.

우리 모두는 죽음의 길목, 그 마지막 순간에 이르러서야 비로소 진심으로 화해와 용서의 지혜를 깨닫게 되는 모양이다. 으뜸가는 영혼의 동반자인 부부 간에도 평생 서로 잘났다 우기다가도 마지막에 가서야 그 우쭐했던 마음을 내려놓을 수 있나보다.

나도 그렇다.

94세 왕언니 환자가 전하는 인생 교훈

10월 말, 오전에 정, 박 선배와 함께 여자 병실에 새로 입원한 90대 췌장암 환자를 찾았다. 반갑게 인사를 드리니 환한 표정으로 반겨주신다. 오랜 투병과 많은 연세에 비해 고운 피부와 풍성한 흰머리로 나이든 기품을 잃지 않고 계셨다.

가벼운 마사지에 개운하다며 좋아하신다. 어렵지만 의사 표현도 비교적 잘 하신다. 환자가 계속 내려가고 싶다는 마음을 전했다. 왼쪽 다리 골절과 부종으로 휠체어 사용이 어려운 분이라 박 선배가 좀 더 넓고 시원한 휴게실로 침대 이동을 권하자 좋다 하신다.

실내 정원 옆에 나오니 조금은 아픔이 가시는 모습이다. 간병하던 60대 딸이 한 세기에 이르는 어머니 삶의 역사를 마사지 해드리는 우리에게 전한다. 어찌 대단하지 않겠는가.

박 선배가 "살아오시면서 가장 중요한 것이 무엇이라

생각하시나요?"라고 물었다.

잠시 생각하던 환자가 입을 열었다.

"바보처럼 사는 것이지요."

"모자란 듯 사는 거예요."

그 짧은 한 마디 문장에 한 평생 살아오며 깨달은 삶의 지혜가 담겨 있지 않을까. 자신의 욕심을 내려놓고 겸손한 마음으로 하루하루 열심히 살아 오셨을 것이다. 건강한 장수는 의도하지 않은 선물로 다가왔을 것이다. 마지막 찾아온 병마도 그럴 것이다.

팀 돌봄을 함께 한 봉사자들이 환자를 무어라 불러드리면 좋을까 잠시 고민하다 결정했단다.

"왕 언니"

데스 카페, 죽음의 질을 높이기 위한 새로운 제안

11월 중순, 가족행사 관계로 2주 만에 호스피스 병동 봉사에 참여했다. 오랜만에 만난 팀원들과 지난주에 있었던 사별가족을 위한 '싸리울 모임' 이야기를 나눴다. 예상보다 많은 사별가족들이 참여해 함께 나눴던 이별의 슬픔을 가슴 저리게 전해 들었다.

자원봉사실 책상에는 다음 주에 있을 심화교육 참가 안내문이 붙어 있었다. 나는 "유명 강사 초청 강연도 좋지만, 10년 넘게 호스피스 돌봄에 참여하고 있는 선배 봉사자들의 경험과 지혜를 나눌 수 있는 기회를 자주 갖는 것이 더 뜻깊은 배움을 줄 수 있겠다."라는 의견을 전했다.

나의 의견에 공감한다며 박 선배가 "앞으로 5년 정도 더 활동한 후, 70세 이후는 새로운 일을 하고 싶은데 무엇을 하면 좋을지 고민하고 있다.", "지금까지는 환자의 편안한 임종을 돕는 일을 최우선 했는데, 앞으로는 사별가족들을 지원할 수 있는 일도 의미 있겠다는 생각이 든다."고 말을 이었다.

나는 그 말에 공감하며 다시 제안했다. “누구보다 풍부한 경험과 지혜를 갖고 있는 정 선배나 박 선배 모습을 가까이에서 함께하며 배운바가 큰 제 생각에는 이런 일을 하면 좋겠다.”

“데스 카페(Death cafe)를 열어 죽음의 질을 높이는 웰다잉을 위한 일은 어떤가. 데스 카페는 과거 EBS 「다큐프라임」 ‘데스’에 소개된 영국 사례이다. 영국은 죽음의 질 관련 국가 조사에서 1위를 했다. 정부 노력과 함께 소개된 데스 카페는 카페를 빌려 맛있는 음식과 음료를 들며 죽음에 대한 자신의 생각을 나눈다. 그를 통해 삶의 새로운 의미를 찾아가면서 서로에게 힘이 되고 있다.” 부연했다.

“좋은 생각이다.” 박 선배가 호응한다.

오랜 호스피스 돌봄 과정에서 성찰한 배움에 기초해 삶과 죽음의 질을 높이기 위한 새로운 길에 도전하려는 모습은 얼마나 아름다운 일인가.

나도 그런 새로운 도전의 길에 함께 할 수 있기를 기원해본다.

엄마가 가장 듣고 싶은 말은?

11월 중순, 봉사자들의 호스피스 병동 돌봄은 오전에 두 분, 오후에 한 분 목욕을 진행하며 틈틈이 병실을 찾아 마사지와 대화를 나누는 것으로 진행했다.

언제나 그렇듯 오랜 투병생활로 지친 환자 분들에게 따뜻한 목욕은 늘 마지막 선물처럼 느껴진다. 그 분들이 전하는 말없는 눈빛과 어쩌다 전하는 '고맙다.'라는 말 한 마디가 오히려 우리에게 힘이 된다.

수요일 마다 오전에 진행되는 환자와 그 가족들을 위한 꽃꽂이 활동은 병동에 또 다른 활력을 안겨준다. 이동이 불편한 환자를 위해 병실 안에서 꽃꽂이가 이루어지기도 한다. 예쁜 꽃이 전해 주는 향기는 또 다른 치유이다.

오후에 박 선배와 함께 50대 초반 여자 환자 병실을 찾았다. 아침 팀 회의에서 간병하는 딸이 너무 슬퍼해 안타깝다며 수간호사님이 전한 환자다. 오늘은 딸 대신

곁을 지키고 있는 아들의 선한 모습이 거친 숨을 힘들게 내쉬는 엄마 모습과 겹쳐지면서 숙연해지는 느낌이다. '아들'이라는 말에 의식 없는 환자가 눈을 크게 뜨며 조금씩 반응한다.

잠시 후 병실을 먼저 나온 나에게 조금 후에 나온 박 선배가 속삭이듯 전한다.

"아들에게 꼭 전해주고 싶은 말을 어렵게 했다. '엄마가 가장 듣고 싶은 말이 무엇일까?'를 생각해 보고 10개든 20개든 말씀해 드리면 좋겠다. 지금 하면 참 좋을 시간이기 때문이다."

1인실은 격리가 필요하거나 임종을 가까이에 둔 환자들을 위한 병실이다. 그 시간이 얼마나 소중한 시간인지를 가족들은 알고 있다. 그래서 화해와 용서, 감사와 이별을 나누는 귀한 시간이지만 참 쉽지가 않다.

3호실은 남자 4인실이다. 80대 중반 남자 위암 환자는 입·퇴원을 거듭하며 두 달째 병동 생활을 하고 있다. 어린나이에 어머니를 잃고 새 어머니 밑에서 이복

동생들까지 돌보며 열심히 살아오셨다. 몇 년 전에 아내 분이 이곳 병동에서 임종하셨단다. 동생분이 정성으로 간병하고 있는 이유를 알 듯하다.

아들과 사이가 좋지 않단다. 본인이 살아온 삶의 무게에 비해 아들이 자신의 기대에 미치지 못한 탓일까. 아들에 대한 걱정이 자신을 끈질기게 붙잡고 있는지도 모르겠다. 장성한 자식을 있는 그대로 존중하고 믿어주시면 좋겠다.

박 선배는 “동생 분이 그 역할을 하실 분이다.” 의견을 전한다.

나는 ‘이제 가셔도 좋다는 허락의 언질과 남은 이들을 걱정하지 않아도 된다는 안도의 언질’이 필요한 시점이라는 생각이 들었다.

세 분 목욕 돌봄, 호스피스 병동의 특별한 선물

11월 하순, 오늘은 세 분 남자 환자들의 연이은 목욕 돌봄이 힘은 들었지만 뿌듯했던 날이었다.

목욕의 즐거움은 모두가 일상으로 누리는 일이지만 오랜 투병생활에 지친 환자들에게는 쉽지 않은 일이다. 목욕도 힘이 있어야 할 수 있기 때문이다. 일반 병동이나 가정에서는 필요한 시설이나 돌봄을 지원받기가 쉽지 않은 어려움도 있다.

호스피스 병동의 특수목욕실은 거동이 어려운 환자를 침대채로 옮겨 이동판인 일명 슬라이드를 사용해 목욕용 침대로 쉽게 옮길 수 있다. 난방기를 가동해 욕실 온도를 높일 수 있고, 온수 사용도 편리하다. 수건, 세제, 보습제, 면도기 등 필요한 물품도 구비되어 있다.

담당 간호사의 기본 처치 후 환자가 목욕을 진행하는 동안 가족이나 간병인은 침대보와 환자 내의나 환자복을 갈 수 있는 시간을 벌 수 있다. 움직이기 어려운 환자가 있는 상태에서 환자 옷과 침대보를 갈아 드리는 일이 얼마나 어려운지는 간병해 본 분들이라면 잘 알 것이다.

이날은 정, 송 봉사자와 함께 일반 병동과 가정형 호스피스에서 전동 온 세 분 남자 환자 목욕을 지원해 드렸다. 정 선배는 물을 뿌려드리며 전체 진행을 살피고, 송 봉사자는 면도와 머리감기 등 위 쪽을 담당하고, 나는 팔다리와 몸 부위를 담당했다.

간간히 환자 상태와 반응을 살피며 조금씩 대화를 이어간다. 세 분 모두 모처럼 따뜻한 목욕에 긴장이 풀리는지 큰 만족감과 고마움을 전했다. 어렵게 호스피스 병동 입원을 결정한 환자 분들의 낯설음과 심리적 위축감을 해소하고 관계를 부드럽게 하는데 목욕이 중요한 계기가 됨을 이번에도 실감할 수 있었다.

따뜻한 목욕 돌봄으로 환자 분들이 암의 고통을 조금이나마 덜 수 있고, 남은 시간을 보다 평안하게 보내실 수 있기를 기원해본다.

사랑채에서 다시 돌아온 아내가 의아한 남편

11월 하순, 아침 팀 회의에서는 담당 코디 간호사로부터 두 분 남자 환자 목욕, 그 외 환자들의 심신 상태에 따른 대화와 족욕, 마사지 등 돌봄을 요청 받았다. 코디 간호사는 겨울로 접어든 계절 변화 탓인지 지난 일주일 동안 많은 분들이 임종하셨다며 안타까움을 전했다.

그와 함께 일주일 전 수요일에 임종실인 사랑채로 옮겨 가족 친지들과 마지막 인사를 나눴던 팔십대 초반 여자 폐암 환자 분께서 상태가 호전되어 다시 입원실로 옮겼다는 이야기를 전했다. 정성으로 간병했던 남편 분이 많이 의아해 하고 있으니 대화가 필요하다는 말도 전했다.

가끔 환자들이 임종 직전에 잠시 확 살아나는 듯 호전된 모습을 보이기도 한다. 모두가 깜짝 놀라게 말이다. 별안간 다시 살아나는 것이다. 정신이 너무나도 또렷하다. 이런 현상들은 설명이 불가능하다는 것이 전문가들의 의견이다.

하지만 임종 직전에 나타나는 이런 '반짝'하고 좋아지는 현상들은 대부분 잠시 후 다시 악화되는 것이 일반적이다. 가족들은 이 때, 다시 한 번 환자와의 관계를 마무리 할 수 있는 좋은 기회로 삼아야 할 것이다.

롤란트 슐츠의 책 『죽음의 에티켓』 속에는 다음과 같은 글이 소개되어 있다.

"설명이 불가능한 현상으로 대표적인 것이 또 있다. 죽음을 앞둔 사람들은 다른 사람의 눈에는 보이지 않는 어떤 존재들을 보는 것 같다고도 한다. 죽음을 의학적 현상으로만 보는 의사들은 그런 현상을 섬망 증세 또는 병적이고 혼란스러운 상태로 본다. 또 다른 이는 판단을 내리기를 꺼리는데, 죽음 앞에서 과학적인 인식의 한계에 도달했다고 보기 때문이다."

앞서 소개한 정현채 교수의 책에는 세상을 떠나기 전 이런 환영을 보는 현상인 종말체험과 프랑스 신학자인 샤르뎅이 말한 '우리는 영적인 체험을 하는 인간이 아니라, 인간 체험을 하는 영적 존재'임을 소개하고 있다.

나는 영혼의 존재와 사후세계를 믿는다.

남편 자존심과 아내 배신감을 녹인 병실 모습

12월 초, 병동 돌봄의 시작인 회의 시간은 어느 때보다 길었다. 담당 코디 간호사의 환자 한 분 한 분에 대한 기본 소개와 돌봄 요청, 박 선배의 추가 의견을 듣노라면 한 편의 영화를 보듯 생생한 느낌과 배움의 시간을 갖게 된다.

첫 돌봄은 지난 월요일 목욕을 했음에도 땀을 너무 흘려 옷이 젖을 정도라며 목욕 돌봄을 요청한 70대 후반의 남자 대장암 환자이다. 그런데 환자 상태가 좋지 않아 침상에서 머리감기와 몸 씻기를 진행했다.

이 환자는 자신을 사랑한 아내가 친정 부모 반대에도 불구하고 연애결혼을 했다. 하지만 생각과 달리 남편의 부족한 생활능력 탓에 아내가 일찍부터 가정 살림과 육아를 책임지느라 힘든 삶을 살아야 했다. 결국 20여 년 전, 이혼했다.

이후 환자는 재혼했지만 또 다시 헤어지는 아픔을 겪

게 되었다. 설상가상 병마와 싸우며 오늘에 이르렀다. 성장한 자식들이 엄마를 설득했단다. 마지막 가시는 길, 가장 필요한 분이 곁에 있어 주면 좋겠다는 자식들의 간절한 소망을 엄마는 수용했다.

권, 송 봉사자와 함께 병실을 방문했다. 권 선배가 익숙하게 물 없이 머리 감기는 샴푸를 이용해 머리를 씻겨드리는 일을 내가 옆에서 보조하는 동안 송 봉사자는 수건을 적셔 몸을 닦아드렸다.

옆에서 지켜보던 아내 분이 연신 고마움을 전하며 눈물짓는다. 함께 병실을 지키고 있던 환자 누이가 아내 분을 위로했다. 우리도 마음을 열고 최선을 다해 환자를 간병하는 아내 분을 격려했다.

살아오면서 남편은 아내 도움으로 가정을 꾸리고, 용돈을 받아 써야 하는 자신 모습 속에서 얼마나 자존심의 상처를 받았을까. 한편 아내는 무능한 남편, 재혼한 남편 모습 속에서 얼마나 배신감을 느꼈을까. 힘들었던 자신의 삶 속에서 서로의 진정성을 읽어내기가 쉽지 않았을 것이다.

이제 죽음을 앞둔 시점이고, 비록 의식 없는 남편 모습 곁이지만 화해와 용서, 미안함과 감사의 시간을 가질 수 있다면 그는 얼마나 다행스러운 일인가.

나는 우리 모두가 좀 더 젊은 나이에 종교적 믿음을 갖거나, 삶과 죽음 그리고 영혼과 윤회의 의미를 깨달을 수 있다면 그 많은 고통과 난관을 조금은 지혜롭게 헤쳐갈 수 있을 텐데 하는 아쉬움을 갖는다.

윤회의 관점에서는 우리가 다음 생을 계획할 때는 기본적인 조건이나 도구들을 선택한다. 자신이 태어날 지역과 부모, 배우자와 직업, 수명과 죽음의 방식 등을 선택해 환생한다는 것이다. 물론 모든 것이 정해져 있다면 자유의지와 자유선택권을 가진 영혼의 인간체험은 의미를 잃을 것이다.

따라서 주어진 물감과 팔레트, 붓과 도화지를 갖고 어떤 그림을 그려낼 것인지는 우리 몫이다. 고난과 역경이 파도처럼 펼쳐진 역동적인 그림이 어쩌면 더 큰 감동을 주는 명화가 될지 누가 알까?

말기 암 상태임을 환자에게 알리지 않는 가족

12월 초순, 오전 회의도 여전히 진지했다.

50대 후반 폐암 말기로 호스피스 병동에 들어온 한 여자 환자가 아직도 자신의 남은 여명이 얼마 남지 않았다는 사실을 모르고 있단다. 더 이상의 치료가 의미 없기에 완화의료 병동 전원을 설득한 의사는 아들의 강력한 요청으로 그 사실을 환자 본인에게 자세히 알리지 못한 모양이다.

완화의료 병동에 입원할 때는 사전의료의향서 작성은 필수다. 치료 지속이나 심폐소생술, 강제 인공영양식 주입 등을 하지 않겠다는 본인 약속이 중요하다. 환자 자신의 남은 여명을 의미 있게 마무리하기 위한 조처다. 그런데 그것도 아들이 대신했단다.

가정형 호스피스로 생활하다 악화된 통증과 어깨뼈 골절 등으로 응급실, 일반병동을 거쳐 호스피스 병동으로 들어 온 환자다. 남은 여명이 얼마 남지 않았음에도 환자는 아직도 병세 호전에 대한 기대가 높단다. 조만간 닥칠 위기는 어떻게 넘길 수 있을까 걱정스러운 것이 팀 돌봄 과제인 것이다.

코디 간호사는 환자의 긴장을 완화시키기 위한 대화 위주 돌봄을 요청했다.

정, 박 선배와 함께 70대 중 후반 두 남자 환자 목욕 돌봄으로 오전을 보내고, 오후에 위 환자를 찾았다. 박 선배가 조심스럽게 환자에게 다가가 족욕 의향을 묻자, 간병인이 나서 움직일 수가 없다며 다음에 해 주길 요청했다.

하지만 비교적 반갑게 인사를 받는 환자 표정을 보니 대화로 관계를 트는 것이 가능하겠다는 판단이 엿보였는지 박 선배가 환자의 발을 마사지 하며 다가갔다. 환자가 마다하지 않는다. 나도 가까이 다가가 발을 마사지 하며 말문을 열자 선선히 대화가 이어졌다.

아들에 대한 자랑스러움, 남편과의 20대 초반 열정적인 연애 스토리가 이어지며 관계가 한결 부드러워져 감을 느낄 수 있었다. 호스피스 병동에 대한 불안감을 조금은 누그러트릴 수가 있었을 것이다. 완강하게 거부하던 목욕 권유도 수용하며 생각해 보겠다 웃으며 말했다고 정 선배가 전했다.

가장 어려운 환자 돌봄 과제라 여긴 점이 해결의 실마리를 푼 듯해 마음이 뿌듯해졌다.

죽음학 선구자로 잘 알려진 의사 엘리자베스 퀴블러로스의 대표작 중 하나인 『죽음과 죽어감에 답하다』에는 이와 관련한 다음과 같은 물음과 응답이 나온다.

문) 결혼한 젊은 아들이 불치병으로 병원에 입원하게 되었는데, 부모는 입원 전 의료진에게 아들에게 질병에 대해 알리지 말아달라고 특별히 요청했습니다. 박사님이라면 어떻게 대처하시겠습니까?

답) 저는 이 부모에게 제가 결혼한 성인 남성을 치료하고 있고 계약은 환자와 저 사이에 맺어져 있다고 말하겠습니다. 만약 그들이 계속해서 '아들에게 알리지 말아달라고' 고집한다면 그들에게 다른 의사를 선택할 권리와 자유가 있다고 말하겠습니다.

2019년 완화의료 병동 마지막 돌봄을 마치며

12월 중순, 매 주 수요일 종일 완화의료 병동 자원봉사 활동도 어느덧 한 해의 마지막 날을 맞았다.

다음 주 수요일이 성탄절 공휴일이라 병동도 쉬는 날이기 때문이다. 마침 그 다음 주 수요일도 신정 공휴일이라 방학을 맞은 기분이다. 아이들처럼 방학의 설렘은 없지만 해가 바뀌는 세월이 주는 의미를 성찰할 수 있는 좋은 계기로 받아야겠다는 생각이 든다.

한 해를 함께 한 팀원들과 오늘 환자 돌봄을 계획하면서도 그동안 호흡을 맞춰 활동하며 맺어진 믿음과 우의가 더욱 돈독해졌음을 새삼 격려했다. 아울러 그 어떤 팀 못지않게 늘 최선의 환자 돌봄을 고민하며, 성찰을 위한 치열한 토론으로 배움과 성장의 계기를 마련해준 팀원들에게 감사의 마음을 전했다.

10년을 넘어선 맏언니로 가장 일찍 나와 화장실 청소까지 솔선하고 계신 소통의 달인 정 선배, 18년째 꽃꽂이 봉사를 함께하며 매주 과일을 챙겨주시는 김 선배, 역시 10년을 넘어 자원봉사자회 회장으로 몇 배 더 애쓰고 계신 우리의 멘토 박 선배, 유일한 50대 중반으로 가장 젊지만 10년 넘게 봉사하며 새로운 인생 전환점의 깨달음을 얻고 있는 권 선배, 내 후배이지만 직장 일의 고단함에도 건강함과 겸손함을 잃지 않고 수요 팀을 뒷받침하고 있는 송 봉사자 모두가 나의 동료요, 스승이다.

마지막 수요일 나는 정, 송 봉사자와 함께 오전에 남자 환자 한 분 목욕 돌봄을 지원하고, 오후에 목욕이 예정되었지만 컨디션이 좋지 않아 족욕으로 대신한 남자 환자 한 분 돌봄을 지원했다. 다행히 족욕과 마사지 돌봄에 만족하셨는지 이런 저런 대화로 어색했던 관계가 많이 부드러워졌다.

이후 휴게실에서 박, 송 봉사자와 함께 비교적 상태가 안정되어 제한된 입원 기간 탓에 퇴원을 예정하고 계신 70대 초반 위암 환자와 이런 저런 많은 대화를 나눴다. 70 평생 살아온 파란만장한 삶을 어찌 짧은 시간에 다 말할 수 있겠는가. 정제되고 함축된 한 문장, 한 문장의 의미를 기꺼이 수용하며 잠시 나마 환자의 삶이 위로가 될 수 있기를 기대했다.

암 등 불치병으로 고생하고 계신 분들 모두 지금 이 상태, 이 조건 속에서도 인간으로서의 존엄과 한없는 신의 사랑이 함께하기를 기원해본다.

앞서 소개한 엘리자베스 퀴블러 로스의 책에는 다음과 같은 물음과 응답도 나온다.

문) 박사님 자신의 죽음을 수용하는 것은 박사님에게 어떠한 의미인가요?

답) 그때가 언제 오든지 간에 죽을 준비가 되어 있다는 의미입니다. 또한 오늘이 마지막 날인 것처럼 하루하루를 살려고 노력할 것이라는 의미입니다. 물론 오늘과 같은 날이 수없이 많이 남아 있을 것이라고 희망하면서 말입니다.

돌봄 거부 환자를 대하는 선배 봉사자들의 지혜

2020년 1월 초순, 성탄절과 신정 연휴 모두 수요일이었던 연유로 본의 아닌 방학을 보내고 새 해 첫 병동 봉사에 나섰다. 오랜만의 봉사자들과 만남이 새삼 반갑다. 그 새 대부분 환자들도 새로운 분들로 바뀌어 안타까운 마음이다.

코디 간호사와 진행된 아침 회의, 유난히 호스피스 돌봄을 거부하는 환자들이 많단다. 다양한 환자 상태와 성향에 따라 완화의료 병동에 입원하기 위한 사전 교육을 받았음에도 돌봄을 대하는 모습이 크게 다른 것이다.

죽음을 앞둔 인간 심리를 어찌 단순화해 짐작할 수 있겠는가. 그 분들 마음과 처지, 불치병과 죽음을 대하는 방식 모두를 존중해 드릴 수밖에 없을 것이다.

오늘 주요 과제는 돌봄을 거부하는 환자들의 상태를 조심스럽게 살피고, 그 분들과의 관계를 트고 신뢰를 확보하고 말문을 열게 하는 쉽지 않은 일이다. 호스피스 병동 봉사를 10년 넘게 해도 여전히 어려울 수밖에 없다는 선배들의 전언이다.

정, 박, 권 선배와 함께한 팀 돌봄 시작은 60대 초반 담낭암 환자였다. 오랜 투병 속에서도 맑고 깊은 눈매가 인상적인 환자다. 삶과 죽음을 바라보는 주관과 철학이 뚜렷한 자연인 같은 분이다.

스스로 그 어려움을 지탱해 나가고자 하는 의지가 엿보여 쉽게 타인의 돌봄에 의지하고 싶지 않은 태도를 보인다. 웃으며 인사를 건네는 박 선배를 바라보며 답례하는 표정에서 아직은 혼자 있고 싶다는 시선이 느껴진다.

목욕을 신청해서 지금 상태를 살피고자 하는 박 선배의 조심스런 거듭된 접근도 마음이 변했는지 거절한다. 몸 상태가 다시 안 좋아졌다며 다음에 했으면 좋겠단다. 이럴 때는 선선히 물러나는 박 선배다.

우리는 다른 남자 환자 상태를 살피며, 잠시 아내가 자리를 비운 환자 곁에서 반갑게 대화를 나눴다. 어지러움과 메스꺼움에 말하기가 어려운 환자다. 박 선배가 환자 마음을 읽고 자신의 삶 속에서 깨달은 용서의 의미를 고백하며 힘을 실어드렸다.

그 사이 정 선배가 돌봄을 거부하고 있는 50대 중반 여성 환자를 찾았던 이야기를 우리에게 전했다. 이른 이혼과 늦은 재혼, 남편과 자식들과의 오해와 서운함 속에서 힘든 삶을 살아온 분이다. 최근 딸과의 화해와 가족사랑 속에서 삶의 행복한 의미를 찾던 중 깊은 병이 새 길을 가로막았다.

정 선배가 조용히 다가가 낮은 음성으로 인사를 건네며 눈을 감고 있는 환자 손을 살며시 잡았다. 그 전에 봉사자 손을 따뜻하게 만드는 것이 기본이다. 따스한 말 한 마디, 따뜻한 스킨십은 얼어붙은 환자 마음을 녹이는 명약이다.

환자가 눈을 뜨고, 정 선배를 바라봤다. 조금씩 대화

가 이어지며 위로와 함께 노래와 등산을 좋아한 공통점을 발견하는 데까지 나아갔다. 환자가 마음의 문을 열기 시작한 것이다. 오늘 가장 어려운 돌봄 과제가 함께 실마리가 풀린 의미 있는 순간이다.

권 선배가 오랜 병동 봉사의 풍부한 경험이 있음에도 정, 박 선배의 환자를 대하는 돌봄 자세와 지혜를 경청하며 큰 배움이 되고 있다며 겸손한 자세로 고마움을 전한다. 나 역시 그렇다.

봉사자들에게 필요한 가장 중요한 연수는 이러한 수많은 임상 속에서 터득한 선배들의 경험과 지혜를 나누는 일이다. 유명 강사를 초청해 듣는다고 얻어질 수 있는 배움이 아니다. 팀 활동을 통해 일상적인 배움으로 하나하나 스스로 깨우쳐 나가는 일이 중요할 것이다.

새 해 호스피스 병동 수요 팀 종일 봉사에 참여하는 내 연중 배움 과제이다.

3년만의 목욕, 마음의 벽을 허물다

1월 중순, 아침 회의에서 코디 간호사로부터 전체 입원 환자들 상태를 점검하고 필요한 돌봄을 요청받았다. 그 중에서도 20대 초반 남자 환자 목욕을 특별히 요청했다.

육종암(지방, 근육, 신경, 인대, 혈관, 림프관 등 우리 몸의 각 기관을 연결하고 지지하며 감싸는 조직에서 발생하는 악성 종양)을 앓고 있는 환자다. 젊은 환자 돌봄은 특히 예민한 정서적 반응이 뒤따르기에 조심스런 접근이 필요하다.

극심한 어깨 통증으로 움직임이 어렵고 그에 따른 세군데 욕창으로 목욕 침대로의 이동도 쉽지 않다. 옷을 벗고 입는 것이나 오랜만의 목욕이라 충분한 시간 속에 세심한 진행이 필요함을 주문했다.

박 선배와 송 봉사자, 코디 간호사와 환자 어머님까지 5명이 함께 해 침대 이동 등 목욕 준비를 했다. 다행이 환자 본인의 즉각적인 의사표현과 약간의 움직임, 무엇보다 아들의 통증 부위를 잘 알고 있는 어머님의 돌봄이 큰 도움이 되었다.

190센티미터는 되 보이는 큰 체격으로 인해 목욕 침대가 작아 고생하는 환자는 처음이다. 그런 가운데에서도 모처럼 따뜻한 물 목욕이 긴장을 풀고 신진대사를 원활하게 해 주는지 환자 의사와 상관없이 대변까지 시원하게 나왔다.

신경이 무뎌진 다리와 달리 지나친 예민함으로 간지럼을 타는 환자가 "조금 더 때를 밀어 달라."는 주문을 계속했다. "이런 목욕은 3년 만에 하는 것 같다."는 말도 했단다. 그간 투병 과정이 얼마나 힘들었을까 짐작이 된다.

보통 환자 두 세배 정도 시간과 노력이 투여된 힘든 목욕 돌봄이었다. 그래도 끝난 후 환자 스스로 그동안 닫았던 마음의 벽을 허물고 연신 고맙다는 말과 함께 손을 내미는 모습을 보며 마음이 뿌듯해졌다.

이른 나이에 죽음을 계획하는 자신의 영적 의도는 무엇일까? 신은 이런 짧은 삶 속에 주어지는 고통의 의미로 무엇을 깨닫기를 원하시는 것일까?

젊은 환자가 주어진 삶 속에서 그의 가족과 함께 더없는 평안과 깨달음을 얻을 수 있기를 기원해본다.

삶의 마지막 길목에서 맞는 어려움들을 엿본 하루

1월 하순, 아침 회의에서는 아쉽게도 인사이동에 따라 3년 간 함께하며 많은 정이 들었던 코디 간호사의 후임 코디 간호사가 첫 진행을 했다. 먼저 임종 기에 접어든 50대 후반 남자 담낭암 환자 상태를 전하며 영적 지지 등 돌봄을 요청했다.

박 선배는 위 환자에 대한 지난 일요일 돌봄 상황을 전하며 새로운 과제를 요청했다. 딸과 엄마의 간병을 살피며 환자에게 "지금 이 순간 가장 보고 싶은 사람이 있느냐?"고 물었다. 환자가 "있다."고 답했다. "부인 보고 싶지요"라는 이어지는 물음에 "그렇다."고 답했다. 엄마를 바라보니 미소를 짓고 있었다.

박 선배는 부연해 설명했다. "환자가 몇 년 전에 부인과 이혼했다. 이혼의 자세한 내막을 알길 없으나 임종을 앞둔 환자의 마지막 소원을 이뤄줄 수 있으면 좋겠다. 화해와 용서의 기회를 갖길 바라고 싶다. 그래서 간병하고 있는 딸과 엄마에게 가족들과 잘 상의해 보도록 간호 팀에서 노력해 주길 바란다."는 내용이었다.

다음은 정 선배가 전한 역시 50대 후반 여자 담낭암 환자 목욕 돌봄 중 있었던 상황이다. 간병하던 스물 중반 딸이 엄마 목욕 돌봄에 함께했다. 하지만 딸은 처음 겪는 상황 탓인지 목욕 돌봄에 매우 소극적인 모습을 보여 정 선배 마음에 안타까움을 남겼다.

오후에 마사지 돌봄을 요청해 간병으로 고생하는 딸에게 잠시 휴게실 휴식을 권했다. 우리가 마사지를 끝낸 후 이어진 정 선배와 환자 간 대화 속에서 의문의 실마리를 찾을 수 있었단다.

딸이 어렸을 때 소아 당뇨로 큰 어려움을 겪었단다. 엄마는 자신의 부족함으로 딸에게 고생시킨 미안함이 자리했는지 딸과의 대화에 어려움이 있었음을 토로했다. 정 선배가 "지금 이 순간이 그 미안함을 전하며 용서를 구할 수 있는 소중한 시간이다."라고 권면하자, 환자가 "그런 조언을 해주셔서 큰 힘이 되었다. 한번 노력해 보겠다."라고 말했단다.

다음은 70대 후반 남자 폐암환자 상황이다. 환자가 양쪽 어깨와 팔 통증을 호소하며 마사지를 요청했다. 마사지를 하며 간병을 전담하고 있는 부인과 함께 대화를 이어갔고, 위로와 지지를 보냈다.

그런데 통증을 겪고 있는 환자가 눈빛으로 말하는 반면 아내는 "남편은 원 없이 하고 싶은 것 다 하면서 지냈다. 옷의 대부분은 남편 것이고, 내 옷은 10%도 안 된다. 나는 자식들만 바라보며 살았다."라고 웃으며 자신의 생각을 쏟아냈다. 환자는 내내 고개를 가로 저었다.

아내는 누구보다 환자의 고통을 이해하고 힘든 마음을 위로해야 할 것 같은 데, 오히려 자신의 처지를 하소연 하고 싶은 심정인 듯싶었다.

환자와 환자를 둘러싼 가족들의 삶 속에 담긴 깊고 복잡한 관계를 어찌 쉽게 이해할 수 있을까? 섣부른 판단과 다가섬이 역효과를 불러오지 않도록 살얼음을 딛듯 조심스럽게 돌봄에 접근해야 하리라.

그런 가운데에서도 팀 돌봄을 통해 삶의 마지막 길목에서 맞이하는 어려움들을 지혜롭게 헤쳐갈 수 있도록 조금씩 정성을 다해야함을 다시 한 번 깨닫는 소중한 하루가 되었다.

오랜 투병의 고통, 비로소 깨닫는 삶의 의미

1월 말, 오늘은 박, 권 선배가 몸살로 인해 아쉽게도 결근이다. 오전 회의 후 꽃꽂이 담당인 김 선배의 준비를 돕고, 정 선배와 송 봉사자와 함께 병실을 찾았다. 임종과 퇴원 환자로 인해 병상이 많이 비었다.

폐암 말기로 한 주 만에 의식이 많이 떨어진 70대 후반 남자 환자가 마사지 돌봄 권유에 고개를 조금 끄덕였다. 스스로 움직일 수 없는 상태라 등을 만지니 '뜨겁다'는 표현이 적당할 정도다. 가볍게 쓰다듬어 드리며 "시원하시냐?" 물으니 잠시 눈을 뜨며 "그렇다."는 반응을 보였다.

옆에서 지난 주 남편에 대한 서운함을 비쳤고, 오랜 간병으로 지쳐있을 법한 아내분이 연신 "고맙다."며 예상하지 못한 자신의 소회를 가감 없이 쏟아냈다.

"평생 남편에 대한 서운한 마음만 가득했는데, 저렇게 아픈 모습을 보며 새삼 남편의 소중함을 깨달았다.",

"나만 찾는 남편 모습에서 그간 소홀했던 자신의 마음을 많이 반성했다."

옆에 있던 정 선배가 "지금이 중요한 시간이지요. 그동안 못하셨던 '사랑했어요.' '고마웠어요.' '행복했어요.'라는 말 많이 하시고, 손 많이 잡아 주세요."라고 권면하자 "그렇게 말씀해 주어 참 감사하다." 며 눈시울을 붉혔다.

환자 위치를 전환해 가며 전신 마사지를 했다. 그런 돌봄 속에서 이루어지는 환자와 가족들과의 대화는 언제나 큰 배움이 있다.

담도암 말기인 50대 후반 여자 환자가 마사지 권유에 "좋아요."라며 반긴다. 아빠와 함께 간병을 맡고 있는 딸에게 잠시 휴식 시간을 갖도록 했다.

역시 환자 등이 뜨끈뜨끈하다. 아직 상태가 좋은 편이라 이런 저런 질문에 대답도 잘 하고, 스스로 자세도 전환하며 마사지 돌봄을 도왔다.

정, 송 봉사자가 지난주에 이어 "어릴 적 소아 당뇨로 고생한 딸에게 늘 미안한 마음을 지니고 있다."고 했던 환자에게 "딸과 함께 진솔한 대화를 나눠보겠다고 했었는데 하셨느냐?"고 넌지시 묻자 아직 못했단다.

정 선배가 "지금 이 순간이 참 소중한 시간이니 말수 적은 딸이지만 엄마가 먼저 미안함도 전하고 고마움도 전하며 마음을 여시면 좋겠다." 권하니 "꼭 그렇게 해보겠다." 답한다.

살림과 육아로 평생 어렵고 힘들게 살아온 엄마지만 늘 자식에게는 부족하고 미안한 마음만 앞서는 모양이다. 자신의 병마와 고통 속에서도 마음의 빚을 벗고자 하는 환자와 그 가족 모습은 우리에게 또 다른 삶의 지혜를 깨닫게 해주는 것 같다.

40여년 만에 다시 듣는 "여보, 사랑해요."

2월 중순, 오전에 환자 돌봄을 위한 진지했던 회의를 끝내고 박, 권 선배와 함께 남자 병실을 찾았다. 지난주 호스피스 병동에 들어온 70대 말기 폐암 환자였는데, 정신적 충격에서인지 봉사자들의 돌봄 권유를 단호히 물리친 분이었다.

일주일 사이에 심리적 안정을 좀 찾으셨는지 목욕 돌봄을 신청했다. 그래도 지난주 예민했던 반응을 참작해 조심스럽게 특수목욕실로 안내했다. 간병에 지친 아내분이 오랜만에 갖는 남편 목욕이라며 반가운 모습을 보였다.

따뜻한 물로 충분히 몸을 적셔드렸다. 환자분도 생각하지 못했던 편안하고 뜨끈한 물 목욕에 긴장이 풀리는지 연신 고맙다며 인사를 건넨다. 면도와 함께 비누를 이용해 몸의 곳곳을 세심하게 닦아드렸다.

피부에 쌓인 때를 밀어드리며 더 원하는 것이 있느냐

는 물음에 등 좀 더 시원하게 씻겨달라는 주문을 했다. 간간히 본인이 직접 가슴과 목 부위를 문지르기도 하며 무사히 목욕을 마쳤다. 옷을 갈아입고 다시 병실로 돌아왔다.

박 선배가 환자를 포옹하며 "사랑합니다.", "고맙습니다."를 주고받았다. 그리고 환자에게 "아내 분에게도 '사랑합니다.'라고 말해주시면 좋겠어요."라고 권면했다.

그러자 이내 환자가 아내를 불렀다. 그리고 아내를 두 팔로 감싸 안으며 "여보, 사랑해."라고 말하는 것이 아닌가. 아내도 남편에게 "여보, 사랑해."라고 응답했다. 아내는 부부 생활 40여년 만에 처음 듣는 말이라며 감격해 했다.

닫혔던 환자 마음이 활짝 열린 따사로운 순간이었다.

죽음의 길목에서 만나는 빛나는 순간이다.

100세 부모를 모신 올케 언니를 간병하는 시누이

2월 중순, 오후에 코디 간호사와 함께한 회의 후 어제 호스피스 병동에 입원한 말기 위암 여자 환자를 박, 권 선배와 함께 찾았다. 역시 의사의 충분한 설명을 듣고, 본인이 동의해 병동에 들어왔음에도 아직 치료에 대한 욕망을 내려놓지 못한 환자였다.

열흘 후면 미국에 살고 있는 아들이 온다며 좀 더 건강한 엄마 모습을 보여주고 싶어 했다. 그래서인지 의사 만류에도 불구하고 진통제를 맞으면서까지 물리치료를 받고 있어 안타까움을 더했다.

힘을 내려면 먹어야 하는데, 미음이라도 먹으려면 집으로 가야 하는데, 환자의 먹고자 하는 열망이 너무 커 옆에서 간병하는 시누이 마음이 타들어 간단다. 집으로 가 무엇이라도 먹고자 하는 환자 마음이 이해가 된다.

권 선배가 환자에게 다가가 족욕 마사지를 권하자, 반응을 보였다. 족욕과 함께 어깨, 등 마사지를 해드리며 자연스럽게 대화를 이끌어갔다. 시원해 하는 환자가 조금씩 마음을 열며 옆에서 간병하는 시누이 말에 응답했다.

시누이가 "100세에 돌아가신 아버지를 올케 언니가 정성껏 모시느라 너무 고생해 이렇게 병이 나셨다."고 전하자, 환자는 "고생한 것 없다."며 고개를 저었다. 시누이가 "10남매, 시누이만 6명이었다며 우리 올케 언니 참 훌륭한 분이다."며 눈물지었다.

어려운 사이로 알려진 시누이와 올케 사이인데, 6명 시누이가 돌아가며 올케를 정성껏 간병한단다. 우리 마음에도 진한 따뜻함이 전해졌다.

또 한 번 환자의 닫힌 마음이 활짝 열렸다.

3년 만에 다시 찾은 병동, 남편의 두 가지 죄

2023년 4월 초순, 코로나로 인해 전면 중단되었던 호스피스 자원봉사 활동이 3년 만에 다시 시작됐다. 나는 매주 화요일 오후 13시 30분부터 16시 30분까지 세 시간 활동을 신청했다.

오랜만에 찾은 완화의료 병동은 큰 변화가 없는 모습이나 조금은 낯설었다. 여전히 일반인들의 환자 문병은 금지되고, 봉사활동 시작과 끝에는 체온을 재 장부에 기록하게 되어 있었다. 마스크 착용이 필수라 목욕 돌봄 시 특히 불편함이 가중되었다.

하지만 반갑게 맞아주는 코디 간호사와 복지사, 선배 봉사자 덕분에 금방 적응할 수 있었다. 때마침 몰아치는 강풍과 빗줄기의 궂은 날씨 탓인지 병동 내 열분 환자분들 상태가 많이 가라앉아 있어 도움을 요청한 분들이 적단다.

그래도 목욕을 요청한 남자 폐암 환자분이 있었지만 여자 봉사자 도움은 어렵다며 다음 날로 미루겠단다.

다시 방문할 때는 잠자고 있던 환자가 앉아서 우리의 인사에 가볍게 미소를 건넨다. 간병인이 오늘은 컨디션이 좋다며 목욕 신청에 대해 문의를 해 언제라도 담당 간호사와 상의하면 된다고 안내해 드렸다.

담낭암 환자인 80대 초반 할머니를 간병한지 한 달이 되어 간다는 할아버지가 오랜만의 외출을 하고 싶다며 봉사자들에게 간병을 부탁했지만 그도 날씨 탓으로 미뤘단다. 우리가 방문하자 반갑게 맞으며 이야기를 쏟아냈다. 아내에게 죄지은 것이 두 가지가 있단다.

하나는 아내가 어렵게 첫 딸을 출산했는데, 아들을 원했던 자신은 속상해 집을 나가 다음 날 들어왔단다. 속 좁은 자신의 불찰로 아내에게 주었던 상처가 늘 미안했단다.

두 번째는 그 첫 딸이 명문대에 장학생으로 합격한 집안 경사를 함께 축하해 주지 못하고, 밤늦도록 친구들과 술잔을 기울여 아내와 딸에게 소홀했던 일이란다. 오랜 투병으로 가라앉은 아내의 지친 표정 속에서도 남편의 회개가 반가운지 미소가 어렸다.

70대 초반 췌장암 환자는 돌보던 간병인이 환자 상태가 악화되어 언제 임종을 맞게 될지 두렵다며 그만두었단다. 전문 간병인이지만 안타까운 일이다. 할 수없이 위암 치료 중이라는 아내가 어렵게 간병을 맡고 있었다. 우리가 방문하니 환자 체위를 변경해 주길 부탁해 작은 도움을 드렸음에도 연신 고맙다며 인사를 건넨다.

돌봄 활동 중간 휴식시간에 자원봉사실에서는 15년 가까이 활동을 이어가고 있는 김 선배와 많은 대화를 나누며 또 다른 배움의 귀한 시간을 가질 수 있었다. 내부 규정상 75세로 자원봉사자 활동 정년을 정하고 있다며 이제 그만 봉사 일을 내려놓아야 할 때가 된 것 같단다. 아쉬움과 함께 지난 세월에서 담겨진 이야기보따리를 풀어놓는다. 존경의 마음으로 경청했다.

3년 만에 재개된 오늘 첫 활동이었지만 인생의 가장 중요한 시기를 보내고 계신 환자분들의 영적 평안을 기원 드리며 다음 주를 기약했다.

욕창 환자 체위 변경 시 유의점

4월 중순, 코로나 이후 3년 만에 재개된 호스피스 봉사 두 번째 활동을 위해 병동을 찾았다. 3년 만에 다시 만난 박 선배, 송 봉사자와 반갑게 인사를 나누었다. 특히 박 선배는 나의 호스피스 활동을 이끌어 준 훌륭한 멘토이고, 송 봉사자는 신참의 배움을 함께하는 동료다.

코디 간호사와 함께 오늘 돌봄을 요청한 환자들 상황을 공유하고, 지원 내용을 상의했다. 남자 봉사자 세 분과 여자 봉사자 한 분이 목욕과 면도, 림프 마사지와 체위 변경 등 역할을 분담했다.

욕창 예방을 위한 체위 변경은 자주할수록 큰 도움이 된다. 하지만 통증이 심하거나 의식이 떨어진 환자 몸은 간병인 혼자 힘으로 돌보기에는 버거운 일이다. 미리 환자의 침상 시트 위에 긴 천 패드를 깔아 몸을 잡지 않고 패드를 잡아 올려 환자를 움직이도록 하는 일이 중요하다.

1인실 췌장암 남편을 돌보던 아픈 할머니, 새로 들어

온 간병인이 환자를 침대 위쪽으로 올려달라는 요청을 해 패드를 잡고 올려드렸다. 할머니는 고맙다 하면서도 간병인이 애써 깎아준 남편의 짧은 머리가 마음에 안 들었는지 아쉽다며 우리에게 동의를 구한다.

이어서 남자 병실로 가 목욕을 요청한 80대 초반 담관암 환자에게 반갑게 인사를 전한 후 목욕실로 이동했다. 오랜 투병에 지친 육신 곳곳이 처절한 상흔으로 남아 있어 물에 젖지 않게 테이프를 붙이는 간호사 손길이 분주하다. 앙상한 뼈만 남은 가냘픈 몸이기에 최대한 조심스럽게 목욕 침대로 옮기고 어렵게 옷을 벗겨드렸다.

따뜻한 물이 온 몸을 흠뻑 적셔가자 미약한 의식 속에서도 흡족한 표정을 보이신다. 남자 봉사자 셋이 한 사람은 물을 뿌려드리고, 두 사람은 위아래, 좌우에서 최대한 빠르게 그리고 부드럽게 온 몸을 씻겨드렸다. 기분이 좋으신지 환자 스스로 두 손을 움직여 자신의 몸을 문지르신다.

목욕을 끝내고 침대로 옮겨 로션을 바르고, 기저귀를

채우고 옷을 입혀드리자 고맙다는 표시로 엄지 척을 해 주신다. "고맙습니다. 사랑합니다." 봉사자들도 감사드리며 답례 인사를 보냈다. 땀 흘리는 일이지만 그만큼 보람도 느껴지기 때문이다.

60대 후반 폐암 환자분이 면도를 요청했다. 전기면도기를 사용했었다 기에 오전에 박선배가 충전을 해두었단다. 생각보다 수염이 길어 전기면도기 사용 경험을 살려 조심스럽게 천천히 면도를 해드렸다. 간병인과 면회를 온 아들이 연신 말끔해지셨다며 응원을 보낸다.

옆 자리 60대 중반 폐암 환자 간병인이 환자 웃옷을 갈아입히는 일을 도와 달라 요청했다. 환자 본인은 몸만 만져도 통증을 호소하시는 상태라 어렵게 옷을 갈아 입혀드렸다. 나중에 이를 본 박선배가 옷 상태가 비교적 괜찮고 환자가 통증이 심하니 그렇게 시급한 일이 아니라 판단해 오전에는 완곡히 거절했었단다. 듣고 보니 좀 더 세심히 살펴보지 못한 측면이 있지 않았나 하는 생각이 들었다.

자원봉사실에 들어오니 그 사이에 선배 여자 봉사자

는 여자 병실에서 70대 후반 유방암 환자에게 림프 마사지를 해드렸단다. 간병하던 남편이 너무 감사했는지 봉사 답례는 규정 위반이라 해도 막무가내로 두유를 놓고 갔다며 마시라 권한다.

오늘도 그렇게 작은 헌신이라도 할 수 있는 기회를 주신 환자 분들께 한없는 감사와 함께 그 분들의 영적 평안을 기원 드렸다.

환자 중심 호스피스 돌봄의 배움

4월 말, 오후 회의에서 코디 간호사와 함께 환자 돌봄 내용을 공유하고, 박 선배와 오늘 오랜만에 대하는 우 봉사자와 함께 병실로 향했다.

먼저 마사지와 족욕을 요청한 70대 초반 여자 췌장암 환자 병실을 방문했다. 의식은 많이 저하된 상태이지만 우리의 인사에 미소로 반긴다. 준비한 방수시트를 발밑에 깔고, 따뜻한 물에 적셔 짠 수건으로 발을 감싸 온열 찜질을 하며 부드럽게 발과 다리를 주물러 드렸다. 두 차례 더 진행한 후 로션을 발라드리며 마무리했다.

박 선배가 어깨와 팔을 마사지해 드리며, 머리맡에 있는 아들과 함께 찍은 사진을 보고 대화를 이끌어 나갔다. 잠시 후 잠깐 나가 있던 간병인을 불러 환자를 일어나 앉도록 해도 괜찮겠냐고 물었다. 늘 누워있는 환자라 등 마사지를 해드리자 너무 좋아하신다. 병실을 나가는 우리에게 연신 고맙다는 인사를 전한다.

다음은 남자 4인실을 찾아 먼저 마사지를 요청한 70대 초반 남자 폐암 환자에게 인사를 전했다. 보조의자에 누워있다 스스로 일어나 앉는다. 박선배가 다가가 어깨와 등 마사지를 해드리며 대화를 유도해 나간다. "중매결혼을 한 부인 간병에 남편의 아내 사랑이 남다른 듯 보인다."고 말하자, 아내가 "남편의 진중하고 기다려주는 속 깊은 정이 그러했다."며 보기 드문 남편 사랑을 전한다. 남편 표정에 고맙고 미안한 마음이 듬뿍 담겨있다.

마지막 돌봄 환자는 지난 주 면도를 해 드린 60대 후반 폐암 환자다. 오늘은 의식이 저하된 상태에서 무의식적으로 손을 올려 수시로 코 줄을 빼 버리는 등 돌발 행동으로 간병인을 걱정스럽게 한 모양이다. 자꾸 손이 이마로 향한다. 간병인이 환자를 말리며 보호대로 양 손을 침대에 묶었다 풀었다 분주하다. 박선배가 다가가 어깨를 부드럽게 마사지하며 괜찮다고 환자에게 격려를 보낸다. 체위를 바꿔 뜨거운 상태인 등을 마사지해 드렸다. 차츰 환자가 평온해지며 잠이 들었다.

24시간 이어지는 간병인의 어려움과 책임이 크겠지만 좀 더 환자 중심 돌봄이 이루어질 수 있도록 간병인 근무여건 개선, 충분한 사전 교육과 함께 실제적 간병 사례 축적을 공유하는 노력이 필요함을 느낄 수 있었던 오늘이다.

의식이 저하된 환자가 계속 손을 이마에 대는 모습과 관련해 박 선배는 가족관계의 어려움 등 환자가 아직 해소하진 못한 갈등이나 문제가 많이 있음을 엿보게 하는 행동으로 이해하고, 그를 풀어줄 수 있는 노력이 중요함을 강조했다.

호스피스 병동 환자 돌봄 활동을 해나가며 우리가 끊임없이 다양한 임상 사례 속에서 배움을 지속해 나가려는 태도를 지녀야함을 새삼스럽게 느껴본다.

웰다잉을 위한 용서와 화해의 중요성

5월 초, 2주 만에 호스피스 병동을 찾았다. 오후 회의는 인사이동으로 그동안 수고했던 코디 간호사에 이어 신임 코디 간호사로부터 오늘 돌봄을 지원할 환자 상태를 점검했다. 두 분이 목욕을 신청하셨는데, 이런저런 일로 어렵겠단다. 마사지와 대화에 중점을 둬주길 요청했다.

선배 봉사자들도 여러 돌봄 사례 경험에 기초해 환자의 평온한 마무리를 위한 용서와 화해의 중요성을 강조했다. 특히 박 선배는 환자 자신의 자책감과 죄의식, 분노와 걱정 등을 해소하기 위한 용서의 계기를 마련해 주도록 하는 일이 매우 중요함을 거듭 강조하며, 올 한 해 중점 과제로 실천하길 제안했다. 우리 모두 동의했다.

갑상선암 폐전이로 병동에 들어오신 70대 초반 여자 환자가 발마사지를 요청했다. 따뜻한 물로 수건을 적셔 찬기가 도는 발을 감싸며 가볍게 발을 마사지했다. 기분이 좀 나아지셨는지 호스피스 병동에 들어오길 참 잘 했다고 감사를 전한다. 자연스럽게 대화가 트였다. 박 선배가 위로와 격려를 전하며 살아오시면서 가장 보람 있었던 일 세 가지만 말씀 듣고 싶다며 질문을 드렸다.

잠시 후 환자는 자신의 요청과 격려로 남편이 학문적 업적을 성공적으로 이룬 것이 첫 번째라 답한다. 두 번째는 요리를 좋아하는 자신이 만든 음식을 주변에 나눔 했던 일이란다. 아내로서 내조와 나눔에 따른 성취감과 만족감이 큰 보람으로 기억되어 있는 모양이다.

자원봉사자실에서 박 선배는 세 가지를 물었는데, 두 가지로 대화를 마무리한 이유에 대해 속 깊은 이야기를 전한다. 먼저 긴 대화로 인한 환자의 기력 저하를 염려했다는 점과 여자 환자 경우 대부분 남편과 함께 자식의 성취를 가장 큰 보람으로 이야기 하는데, 예상외 답변이 나와 다음 주 이어질 대화 몫으로 남겨두었단다.

생각이 깊은 박 선배는 아마도 다음 주에는 가장 아쉬웠던 일 세 가지도 듣고 싶다고 질문을 던지리라. 그 짙은 애증의 마음속에 자리한 자책감과 죄의식을 풀어 드리려 자연스럽게 용서의 계기를 마련하고 싶었던 것이 아닐까 혼자 생각해 보았다.

지난주까지 상태가 좋아 마사지를 해드리며 대화를 나눴었다는 70대 초반 췌장암 환자를 다시 찾았다. 의외로 잠든 얼굴 표정이 많이 가라앉아 있다. 간병인 말로는 어제 간암을 앓고 있는 장남을 만난 후 급격히 상태가 안 좋아지신 것 같단다. 박 선배도 특히 엄마들은 자식의 병고를 자신 탓 인양 죄책감을 갖기 마련이라 그 충격이 기력을 쇠잔하게 한 것 같다며 공감했다. 선배는 가볍게 발 마사지를 해드리며 "다 잘 될 거예요. 걱정하지 않으셔도 돼요."라는 말로 여러 번 위로의 말을 전했다.

아내와 자식을 북에 두고 딸과 사위와 함께 남쪽으로 내려온 새터민 출신 90세 환자도 그러하다. 그 복잡한 사연과 파란만장한 삶의 역정을 우리가 어찌 알겠는가. 아마도 환자 마음속에 자리한 회한과 죄의식 또한 얼마나 크겠는가. 그래도 아내를 대신해 친한 할머니께서 간병에 진심이셨다. 자신이 아플 때 환자가 성심성의껏 간병을 해 준 적이 있었단다.

환자의 큰 복, 아내와 남편의 간병

5월 중순, 자원봉사실에 기록된 환자 상황판을 보니 지난 주 임종실인 사랑채에 계셨던 환자 이름이 지워져 있다. 이곳에서는 일상의 모습이지만 죽음에 대한 두려움을 극복해보고자 그를 직면할 수 있는 호스피스 자원봉사의 길에 들어선 나로서는 언제나 쉽지 않은 과제다. 회의에서 코디 간호사는 오늘 환자 상황을 전하며 한 분 목욕과 두 분 발 마시지를 요청했다.

목욕을 위한 준비 작업을 하는 동안 먼저 70대 초반 췌장암 환자를 찾아 발 마사지를 해드렸다. 의식이 많이 떨어져 있는 환자이다. 김 선배가 마사지 하며 조금씩 대화를 건넸다. 천주교 신자라 주기도문을 송 봉사자와 함께 되 뇌였다. 잠시 후 편안해지며 잠이 드신다.

조금 뒤 70대 초반 췌장암 환자 목욕을 봉사자 셋이 진행했다. 간병을 돕는 아내분이 함께했다. 의식이 저하되어 대화가 어렵기에 피부 상처, 물 온도, 자세 이동 등 환자 반응을 살피기에 아내 분 도움이 크다. 오랜 투병 속에서 이런 특수목욕실 봉사는 처음 받아본다며 아내분이 연신 감사함을 전한다. 처음 다소 불편해 하시던 환자도 기분이 좋아지셨는지 조금씩 몸을 움직여 목욕을 돕는다. 목욕을 끝낸 후 잘 하셨다며 편히 쉬시라는 격려에 비로소 "네."라는 반응이 나왔다.

잠시 쉰 후 남은 한 분 발 마사지를 진행했다. 60대 초반 자궁내막암 환자로 어제 병동에 들어왔단다. 오랜 투병을 간병하고 있는 남편 분 정성이 지극하다. 발이 부어있고, 발뒤꿈치에 통증이 있단다. 송 봉사자와 함께 따뜻한 수건 찜질을 한 후 로션을 바르고 부드럽게 마사지해 드렸다. 환자 발과 종아리에서 각질이 나온다. 목욕 신청 방법을 알려드렸다. 환자가 아직은 걷기도 가능하기에 목욕실 이용해 아내를 남편이 직접 씻겨드리는 것도 좋겠다고 권고했다. 아내와 남편의 간병을 받을 수 있음도 큰 복이다.

지난 주 살아오면서 가장 보람 있었던 일 세 가지 중 두 가지를 말씀하셨던 여자 환자분은 열이 있어 코로나 검사를 했다며 격리중이란다. 세 번째 일은 다음으로 미뤄야하겠다.

말기 환자의 림프 마사지 심화교육 참가

2024년 3월 말, 오늘은 오전에 병원 암센터에서 열린 자원봉사자 심화교육에 참가했다. '말기 환자의 림프 마사지'라는 주제로 강수민 임상 아로마테라피스트 전문가 강의와 실습으로 진행되었다.

평소 '림프'라는 의학 용어를 종종 사용하면서도 그 위치와 기능에 대해 명확한 이해가 부족해 아쉬움을 갖고 있었기에 선뜻 교육 참가를 신청했다.

교육은 한 시간 강의와 두 시간 실습으로 진행되었다. 강사의 친절하고 명확한 강의와 실습은 말기 암 환자만이 아니라 일반인에게도 도움이 될 림프 마사지에 대한 소중한 배움의 시간이 되었다.

강사는 강의를 통해 림프는 우리가 흔히 임파라는 용어로 친숙해 있고, 손과 발끝 사지로부터 림프관을 통해 불필요한 체액을 심장으로 보내는 기능을 하는 기관이라고 알기 쉽게 설명했다. 이 기능이 심신 허약으로 기능이 떨어지게 되면 우리가 흔히 알고 있는 부종 증상이 발생하게 된다. 이런 부어오른 다리를 림프 마사지를 통해 좀 더 원활하게 흐르게 하고, 환자의 심신 안정을 가져올 수 있도록 돕는 것이다.

강사는 림프 마사지전 주의사항 세 가지를 강조했다.

첫째, 부드러운 압력과 느린 속도로 마사지 한다. 림프관은 피부 가까이 있고, 그 흐름이 느리기 때문이다. 이는 환자의 심신 이완에 더 큰 도움을 주게 된다.

둘째, 마사지는 하고자 하는 부위에서 심장 쪽에 가까운 부위부터 시작해 심장 방향으로 밀어 진행한다.

셋째, 케어 마사지하는 동안 환자의 심신 이완에 집중해야 한다. 가능한 환자와 대화는 삼가는 것이 좋다. 돌봄 감사의 마음에 무리해 답하려하기 때문이다.

실습은 먼저 환자 발을 따뜻한 물수건으로 온습포하며 환자에게 접촉을 위한 동의를 구하려는 마음이 중요하다. 이어서 오일을 충분히 발라 마사지를 준비한다.

그런 다음 양손바닥으로 발끝에서 발등과 복사뼈 아래쪽을 지나 종아리를 부드럽게 밀어 올려 무릎 뼈를 가볍게 지나 좌우로 쓸어내리는 방식으로 부종을 밀어 올리는 림프 마사지를 진행한다. 이 때 양손을 내려 원위치 할 때는 손을 떼고 내려오는 것이 중요하다.

종아리 부위는 한 손바닥을 종아리 안쪽에 대고 아래 부위에서 무릎 뒤쪽으로 밀어 올린다. 내려올 때는 손을 떼고 원위치 한다. 3회 반복한다.

발등은 엄지손가락 전체를 이용해 심장 방향으로 9시에서 12시 방향으로 밀어 올리듯 마사지 한다. 반대는 3시에서 12시 방향으로 밀어 올리듯 마사지하고 손을 뗀다. 발등은 부종이 없는 환자는 1회, 부종이 있는 환자는 2-3회 진행한다.

발가락은 엄지손가락 뒤 부분을 이용해 마사지 한다. 발가락 사이인 지간 부위는 아래에서 위쪽으로 지그시 눌러 밀어올린 후 손 떼고 내려온다.

발바닥은 발가락에서 엄지손가락을 이용해 발뒤꿈치 쪽으로 지그재그 식으로 밀어 올린다. 그 다음 주먹을 쥔 후 발가락 부위에서 뒤꿈치 쪽으로 밀어 올린다. 발바닥 지압은 지그시 천천히 누르고 2초간 머문 후 힘을 천천히 빼는 식으로 진행한다. 용천 부위에서 복숭아뼈 부위로 3회 지그시 밀어 올려준다.

뒤꿈치 아킬레스 부위는 엄지와 검지를 이용해 3회 밀어 올린다. 종아리 부위는 아킬레스 부위에서 무릎 뒤쪽까지 손바닥을 이용해 3회 밀어 올려준다.

마지막 마무리는 사랑스럽게 키스하듯 쓰다듬기 3회로 무릎에서 양손을 위쪽에 대고 천천히 내려온다.

나는 강의를 통해 혈관 내 혈액은 심장이라는 큰 공장이 있어 그 힘으로 전신을 돌게 되지만 림프는 따로 동력기관이 없다는 것을 알게 되었다. 림프액은 림프관의 수축 작용을 통해 심장 쪽으로 보내지는데, 질병 등으로 심신이 허약해지면 그 작용이 어려워 부종이 생기게 된다는 것이다. 이에 림프 마사지를 통해 림프관 기능을 돕고자 하는 것이며, 그 효과는 즉시 나타난다고 강사는 풍부한 임상 경험에 기초해 강조했다.

한 시간 강의에 곧바로 이어진 두 시간 실습은 3-4명이 팀이 되어 강사의 마사지 시범 후 봉사자 모두의 실습 체험으로 열정적으로 진행되었다. 나는 화요일 오후 팀원인 송, 우 봉사자와 함께했다. 림프 마사지는 특히 힘을 빼야 한다는 것, 발바닥 지압은 지그시 눌렀다 잠시 멈추고 서서히 떼는 순간 더 큰 몸의 반향이 느껴진다는 것 등을 실습을 통해 깨닫게 되었다.

가정에 소홀했던 남편을 돌보는 아내 마음

5월 말, 오후 회의에서 코디 간호사가 환자 돌봄을 위한 기본 정보를 전해주며 참고하길 요청한다. 오늘은 목욕을 신청한 남자 환자가 두 분이라 그 분들에 대한 참고사항을 집중해 전했다.

말기 암 환자에 대한 24시간 간병의 어려움이 너무 크고, 환자마다 다양한 조건들이 있기에 대부분 경제적 부담을 무릅쓰고 간병인을 쓰는 것이 보통이다. 그러기에 아내나 남편의 간병은 그나마 행복한 경우라 하겠다.

오늘 목욕을 신청한 60대 중반 환자는 아내가 간병을 맡고 있었다. 하지만 환자는 오랜 세월 집을 떠나 따로 살림을 차렸고, 아내에게는 생활비도 제대로 보내지 않았던 무책임한 남편이었던 모양이다. 아내 혼자 자식을 키우며 생계와 육아를 책임지느라 얼마나 고생과 상처가 많았을까 상상이 된다. 그럼에도 나이 들고 병들어 집을 찾아온 남편을 아내는 내치지 않고 받아들여 이렇게 고된 간병까지 헌신적인 돌봄을 해주고 있었다. 참 천사가 따로 없다.

박 선배와 함께 병실로 가 환자와 반갑게 인사를 하고 목욕실로 침대 채 이동했다. 우 봉사자가 함께했다. 그동안 병마에 시달리며 많이 지쳐있는 모습이지만 오랜만에 따뜻한 물을 흠뻑 적시며 하는 목욕이어서인지 환자의 경계심과 낯설음은 금방 사라지고 표정이 부드러워짐을 느낄 수 있었다.

1차 목욕을 끝내고, 박 선배가 면도를 해드리며 조용히 그러면서도 다정한 목소리로 질문을 던졌다.

"환자분 인상을 보니 인생을 참 잘 살아오신 것 같네요. 살아오신 중에 가장 잘 하신일이 어떤 일이시지요?"

그러자 환자분이 바로 조용히 답했다.

"잘 한 게 하나도 없는 것 같아요."

뜻밖이다. 이미 박 선배는 이 환자의 살아온 삶의 과정을 대략적으로 알고 있었기에 이 질문을 던진 것이다. 보통 때는 한 가지가 아니라 세 가지를 물으며 대화를 이끈다. 그런데 환자는 한 가지도 없다고 바로 답한 것이다. 드문 일이다. 대부분의 환자는 배우자를 만난 것, 자식을 키운 것, 직업 등 생계에 충실한 것, 종교나 취미생활을 가꾼 것 등으로 답하며 뿌듯해 하기 마련인 것이 보통이기 때문이다.

박 선배는 조심스런 일회용 면도기로 익숙하게 면도하며 다음 대화를 이어갔다.

“와, 잘한 게 많으실 것 같은 데 하나도 없다고 하니 참 겸손하시네요.”

“그러면 잘 못하신 일이 있다면 무엇이 있을까요?”

“가정에 충실하지 못한 일이지요.”

“남자들은 다 그런 것 같아요. 아내나 자식들에게 늘 미안하고 부족하게 생각되는 게 남자들 마음인가 봐요.”

“이제 마음을 여시면 되지요. 미안했다고, 잘못했다고 용서를 구하면 되지요. 아내 분에게 그렇게 말씀하셨나요.”

“아니요. 아직 말 못했어요.”

"예, 지금이라도 늦지 않았으니 하시면 되지요. 꼭 그렇게 말씀 전해보세요."

"예."

잠깐의 순간이지만 놀라운 장면이다. 아니 감동적인 장면이다. 이런 장면은 누구나 만들 수 있지만, 아무나 할 수 있는 일이 아니다. 호스피스 자원봉사자들이 만들어낼 수 있는 가장 좋은 돌봄 역할의 사례다. 오랜 돌봄의 내공이 쌓인 박 선배는 다양한 상황에서 적절하고 필요한 역할을 참 잘 찾아낸다. 영적 안내자요, 영적 스승이다.

면도를 끝내고, 따뜻한 물로 환자의 몸을 다시 한 번 깨끗이 적셔드린 후 목욕을 끝냈다. 새 환자복을 갖고 아내 분이 목욕실로 들어왔다. 혼자하기 어려운 남편 목욕을 도운 우리에게 감사를 표했다. 내가 "남편께서 가정에 충실하지 못해 참 미안해 하셨다."고 전하니, 아내 분이 머리를 가로 젓는다.

그렇지만 이제 다음 장면이 눈에 선하다. 아마도 몸

을 벗기 전 조용한 시간에 남편은 아내의 손을 잡고 진심으로 자신의 잘못을 사과하고 용서를 구할 것이다. 아내는 그간의 쌓인 한과 아픔을 내려놓고 남편을 용서하고 저승으로 편히 떠나보낼 것이다. 아마도 부부는 이 체험을 통해 화해와 용서의 의미를 깨달으며 이번 생의 과제를 훌륭히 완수하리라 나는 믿는다.

앞서 소개한 정현채교수의 책에는 다음과 같은 글이 소개되어 있다.

"완화의료 전문의 아이라 바이오크는 그의 책 『아름다운 죽음의 조건 : 죽음 직전의 사람들에게 배우는 삶의 지혜』에서 아름다운 죽음의 조건으로 '사랑해요, 고마워요, 용서합니다(용서해주세요), 안녕히 가세요.' 4가지를 제시했다."

영적존재인 우리들의 모든 인간 체험 그 어느 것 하나하나마다 의미 없는 일은 없기에 그 의미를 찾아가도록 돕는 돌봄이야말로 가장 중요한 일이다.

"아내 분 표정이 달라졌어요."

6월 초, 오후 회의에서 코디 간호사가 "아내 분 표정이 달라졌어요."라며 기쁜 소식을 전했다. "남편에게 처음으로 미안했다는 말을 들었어요."라며 간병에 지쳐 있던 아내 분이 환한 표정으로 자신에게 말했다는 것이었다.

아마도 지난 주 목욕을 하며 나눴던 대화 속 남편의 다짐과 약속이 실천된 모양이다. 임종을 앞둔 남편의 진심어린 미안함이 아내에게 전해지고, 남편은 지난 삶 속 잘못에 대한 용서를 구했을 것이다. 아내의 표정이 달라졌다면 아내는 남편의 사과를 수용하고 잘못을 용서하며 자신의 사랑을 전했을 것이다.

호스피스 병동이 갖는 강점을 잘 보여주고 있는 사례 중 하나라 생각된다. 의사와 간호사의 전문적 의료 돌봄과 함께 전문 치료사와 성직자, 자원봉사자의 사랑에 기초한 영적 돌봄이 조화를 이룬 결과라 하겠다.

웰다잉을 위한 호스피스 병동의 확대는 노인 인구의 증가에 따른 삶의 질 향상을 위해 꼭 필요한 일이다. 하지만 수익성을 앞세운 의료 현실에서 정부의 예산 지원 등 정책적 노력이나 호스피스에 대한 국민의식개선 노력은 너무도 부족한 실정이다.

오전에 가정 호스피스 돌봄을 함께했던 박 선배는 그동안 환자와 대화를 이끌어내기 위해 사용했던 질문 내용을 좀 바꿔봤단다.

내가 궁금해 하며 "어떤 질문이냐?" 물었다.

박 선배는 "그 동안 '지난 삶에서 가장 잘 했다고 생각되는 것이 무엇인가요?' 또는 '지난 삶에서 가장 잘못한 일은 무엇인가요?'라는 질문을 많이 사용했는데, 이제는 '앞으로 무엇을 가장 하고 싶으세요?'라는 질문을 하는 것이 좋겠다."라고 답했다.

내가 "희망을 북돋는 미래지향적인 질문이라 참 좋네요."라며 화답했다.

요즘 대화형 인공지능 프로그램인 AI 챗봇이 세상을 변화시키고 있지만, 그 기능의 핵심은 좋은 질문이다.

그간의 우리 교육이나 일상적 대화의 열쇠도 '질문하기'에 있음은 잘 알려져 있다. 이에 늘 자원봉사자들의 좀 더 나은 호스피스 돌봄을 위해 좋은 대화법을 고민하고 실천하고 있는 박 선배의 모습이 잘 드러난 오늘이다.

'삶과 죽음, 영혼과 윤회'를 주제로 한 영적 탐구에 몰입하고 있는 나의 관점에서 죽음은 또 다른 시작이다. 영원불멸하는 영적 존재인 우리들이기에 죽음이 지닌 영적 의미를 새롭게 깨달을 수 있다면 지금 여기 이 순간의 삶이 지닌 보물을 발견하고 현재의 삶을 더욱 소중하게 가꿔갈 수 있을 것이다.

호스피스 병동의 모든 이들에게 이 미래지향적 질문이 지금 여기 이 순간에 담긴 삶과 죽음의 영적 의미를 깨닫는데 도움이 될 수 있기를 희망해본다.

"그냥 집에서 쉬고 싶어요.", '엄지 척'

6월 중순, 오후 회의에서 코디 간호사는 오늘 목욕을 희망하신 환자 한 분의 돌봄과 특별히 1인실 남자 환자와 대화를 요청했다. 지난 주 목욕을 해드렸던 환자는 의식이 저하되어 오늘은 할 수 없다고 말했다. 이에 박 선배가 의식이 떨어져 있는 환자 목욕은 위험할 수 있다며 동의했다.

여름에 접어들고 있는 한 낮이지만 특수목욕실 온도가 아직 낮다며 목욕은 조금 뒤에 하기로 하고, 코디 간호사가 요청했던 2호실 환자를 먼저 찾았다.

박, 송 봉사자와 함께 인사를 하며, 돌봄이 필요한 것이 있느냐고 물었다. 아내와 함께 간이침대에 기대어 있던 60대 중반 무렵의 환자가 고개를 위 아래로 끄덕였다. 암 전이로 인한 탓인지 오른쪽 다리와 엉덩이 부위가 붓고 통증이 심해 병상에 누워있기가 어렵단다.

박 선배는 우리에게 어깨와 등 마사지를 요청하고는 환자의 다리 상태를 살펴보며 조심스럽게 대화를 시작했다.

"환우님은 예전에 무슨 일을 하셨나요?"

"건축 관련 일을 하셨어요. 타일 전문 시공 노동자로 힘든 일을 많이 했지요. 젊었을 때는 누구도 들기 어려워하는 무거운 타일 박스를 전담하다시피 나르며 일 하셨답니다."

힘들어 하는 남편을 대신해 아내가 답을 전했다.

"그렇게 누구보다도 땀 흘리며 열심히 살아오셨는데, 가장 보람을 느끼는 것은 무엇일까요?"

박 선배의 물음에 환자는 가만히 고개를 가로저었다.

"그러면 앞으로 하고 싶은 일이 있을까요?"

"쉬고 싶어요. 집에서 그냥."

환자가 가만히 고개를 숙이며, 힘주어 말했다.

어깨와 등 마사지에 시원하다며 반응하는 환자와 박 선배의 대화를 지켜보며, 나는 환자 마음속에 가득 담겨 있을 복잡한 심경이 절절하게 느껴졌다.

우리는 눕고 싶다는 환자에게 '병세가 좋아져 꼭 집에 가서 편히 쉬실 수 있기를 기원한다.'는 인사와 함께 병실을 나섰다.

잠시 후, 남자 환자 목욕을 진행했다. 오랜 투병 생활로 인해 몸이 많이 수척해졌다. 오랜만의 목욕이라 따뜻한 물을 충분히 뿌려드리며 천천히 씻겨드렸다. 눈을 감고 힘이 없어 축 늘어진 환자이지만 간만의 목욕에 옛 느낌이 되살아나는지 자신의 손으로 가슴과 배 부위를 문지르곤 한다. 박 선배는 일회용 면도기로 익숙하게 긴 턱수염을 말끔히 면도해 드렸다. 발가락과 뒤꿈치 각질까지 뒤 손질한 후 목욕을 끝냈다.

환자가 한 손을 치켜들더니 '엄지 척'을 해 우리를 감동시켰다.

우리는 살아가며 숱한 시행착오를 겪으며 성장한다. 잘 해보려 최선을 다하며 많은 의미 있는 성과를 내지만 그 과정에서 수많은 실수와 잘못을 행하기도 한다. 나이가 들고 병들어 이제 욕심을 내려놓게 되면 끝없는 회한에 사로잡히며 삶을 반추하게 마련인 모양이다.

신은 우리의 모든 선택과 체험에 업보는 없다고 말씀한다. 이에 나는 우리의 모든 상황과 사건에 우연이란 없다고 믿는다. 모든 것에 의미가 있다고 믿는다.

우리 모두 다 '엄지 척'이다.

몸과 마음, 영혼까지 씻어낸 환자

6월 말, 오후 회의에서 코디 간호사는 병동 환자들 상태를 전한 뒤 한 분 남자 환자 목욕, 두 분 여자 환자 족욕과 대화를 요청했다. 특히 목욕을 희망한 환자는 아직 자신의 상황에 대한 원망이 가득 차 있어 보인다며 걱정했다. 무엇보다 자식에 대한 안타까움을 많이 드러내고 있다는 말을 전했다. 박 선배가 그런 환자가 목욕을 신청해 다행이라 답했고, 우리도 공감했다.

오늘 처음 함께하게 된 신입 손 봉사자와 우 봉사자가 여자 병실을 담당하고, 나는 박 선배, 송 봉사자와 함께 남자 환자 목욕을 준비했다.

잠시 후 침대 위에 앉은 채 목욕실로 들어오는 환자에게 반갑게 인사했다. 아직 몸 상태가 괜찮은지 스스로 몸을 움직여 옷 벗는 것을 돕는다. 이후 목욕 시작 전, 손에 물을 뿌리며 따뜻한 물 온도가 적당한지를 확인하는 박 선배 말에 환자가 뜻밖의 대답을 내놓아 우리를 놀라게 했다.

"돼지를 잡으려면 물이 뜨거워야지요."

처음 듣는 낯설지만 익숙한 표현이다. 옛날 원시적인 시골 도살장 풍경을 떠올릴 수 있어야 이해가 가능하다. 오랜 병마와 싸우느라 매우 지쳐있는 상태임에도 순간적으로 자신을 돼지로 비유하며 목욕물을 더 좀 뜨겁게 해달라는 은유가 담겨있다. 자신의 처지와 신세를 돼지로 비유하고 상실감을 암시하는 것인지도 모르겠다. 어찌했든 이를 계기로 목욕실 첫 만남이 주는 낯설음이 순식간에 녹아내렸다.

"환자분이 돼지깨나 잡아 보신 모양이네요."

박 선배가 화답하니 분위기가 한결 부드러워졌다. 우리는 그동안 수많은 고난과 역경을 헤쳐 나오느라 지친 환자 몸을 뜨끈한 물과 부드러운 손길로 씻기며 위로와 격려를 보냈다.

잠시 후, 환자의 새로운 주문이 나왔다.

"살살하세요."

당황한 우리가 되물었다.

"너무 세게 피부를 문질러 아프세요?"

그러자, 환자의 심성을 엿볼 수 있는 뜻밖의 답이 이어졌다.

"아니요. 봉사자분들이 너무 힘드실까 염려가 되니까요."

목욕을 진행하며 나눈 짧은 대화 속에서도 환자가 그동안 얼마나 남을 배려하고 의식하며 살아오려 애써왔는지를 한 눈에 엿볼 수 있었다.

목욕을 끝낸 후 환자가 고마움을 전하자, 박 선배가 '다함께 수고했으니 포옹으로 마무리 하자.' 요청한다. 송 봉사자가 '목욕 값이냐.'며 화답했다.

자원봉사실에서 잠시 휴식을 취하며 여자 봉사자들 돌봄 상황을 전해들은 뒤, 박 선배가 남자 병실로 가보자 제안해 다함께 나섰다. 환자들 상태가 안 좋은지, 가만히 살펴보던 박 선배가 잠시 후 조용히 물러선다.

마침 목욕을 해드린 환자가 침대에 누워있다 우리를 보고는 예상하지 못한 말을 던졌다.

"우리 커피나 한 잔 할까요?"

나의 짧은 5년 차 봉사활동 중에 처음 받아본 데이트 요청이다. 나와 동갑나이이니 우리 세대에 커피 한 잔은 부담 없이 마음을 나누고자 하는 익숙한 비유였다.

"예, 좋지요."

반갑게 답례하며, 담당 간호사와 간병하던 아내의 동의를 구했다.

"그럼 휴게실로 가실까요."

환자가 좋다며 어렵게 휠체어에 옮겨 앉았다.

완화의료병동의 휴게실에는 화단과 넓은 창문, 소파와 책장 등이 갖추어져 있어 커피를 마시며 대화를 나누기에 더없이 적합한 장소였다.

잠시 후, 다시 한 번 오가는 덕담과 오랜만의 커피 한 잔이 가져다 준 부드러움이 깊은 상처를 어루만지며 다독였는지 환자가 긴 한 숨을 내쉬며 조용히 말문을 열었다.

"나무는 자라면서 휘어지고 꺾기며 뻗어 오르기도 하고, 때론 부러져 내리기도 한다."

"내게 왜 이런 시련이 주어지고, 이런 처지에 놓이게 되었는지 생각할수록 참 원망스럽다."

"어른들의 가르침에 따라 늘 남에게 폐가 되지 않도록 부단히 노력하며 살았다."

"일편단심 아내와 자식을 돌보려 최선을 다했다."

"잘해보려던 자식의 거듭된 사업 실패로 부모 도움이

물거품이 되어 남들 보기에 면목이 없다."

"부모 책임이 크다. 자식 걱정에 마음을 놓을 수가 없다."

"내가 힘이 있어야 그나마 자식을 도울 수 있는데, 지금 처지가 한스럽다."

환자의 눈에 눈물이 고이며, 한 숨은 더욱 깊어졌다. 공감과 위로를 드리며 아픈 마음을 함께했다. 준비된 티슈가 눈물 콧물에 젖어 쌓여갔다.

한참을 경청하며 듣고 있던 박 선배가 조용하면서도 단호하게 주문했다.

"환자분이 지금까지 애쓰신 노력이면 충분하고도 넘친다."

"이제는 자식에 대한 기대와 책임에서 벗어나 자신을 돌보실 때다."

"성인이 된 자식이니 스스로 책임지고 잘 해낼 것이다."

"실패의 경험이 충분하니, 이제 성공하는 일만 남은 것 아니냐."

우리도 환자의 입장과 처지에 공감하면서도 이제 욕

심을 내려놓고 마음을 평안히 가지면 좋겠다는 뜻을 전했다. 사랑을 담아 기도하면 모든 것이 잘 될 것이라 격려했다.

그래도 환자는 그렇게 하기가 어려운 모양이다. 여전히 원망과 절망의 마음을 내려놓기가 어려운 듯 때때로 고개를 가로젓는다. 시간이 필요할 것이다. 화해와 용서의 길로 가는 데는 오랜 기다림이 필요할 것이다.

부모는 나무와 같다. 자식인 가지가 폭풍우에 휘고 꺾일 때마다 노심초사 마음을 졸인다. 환자처럼 나무는 휘어지고 꺾이며 위로 자라는 것이 자연의 이치임을 깨닫고 있으면서도 현실에서는 자식이 고난과 역경을 스스로 헤쳐 나갈 수 있도록 그냥 지켜보기가 참 어렵다. 자신의 모든 것을 다 내주어 돌봐주고 싶은 게 부모 마음이다. 그를 지켜보고 기다려주기가 보통 어려운 일이 아니다. 선각자들은 불운한 이들을 돕는 가장 좋은 일은 그들의 모든 사건과 상황을 자신의 영적 진화를 위한 성스러운 길이라 믿고 자립할 수 있도록 지켜보고 격려하는 일이라 말씀한다.

우리의 염려에도 불구하고 한 시간 가까이 커피를 나누며 대화를 나눈 환자 표정이 한결 밝아진 듯 보인다. 마음 속 응어리진 말 못할 깊은 사연을 누군가에게 털어놓을 수 있다면 그 자체로 치유의 효과가 있을 것이다. 더욱이 늘 남을 의식하며 배려하는 삶을 살고자 했던 환자이기에 아무 이해관계가 없는 봉사자들과 부담없이 대화를 나눌 수 있어 더 좋았는지도 모르겠다. 병실로 돌아온 환자를 아내와 딸이 반갑게 맞이했다.

나는 "신은 우리에게 천사들만 보내주셨다."라는 말을 믿는다. 현실세계의 인간체험을 하고 있는 영적존재인 우리이기에 우리를 힘들게 하고 상처 준 그 모든 이들이 나의 요청에 의해 그 악역을 맡아 화해와 용서의 의미를 깨닫게 해주는 천사들임을 나는 믿는다.

오늘은 우리 모두 몸과 마음과 영혼까지 씻겨낸 뜻깊은 날이다.